101 CROSSWORD SEARCH PUZZLES

Illustrated by Andrew Geeson

Written by Natasha Cobbold

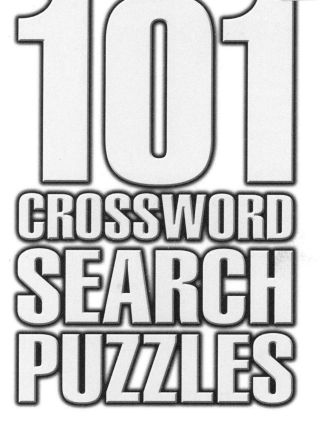

Published by Top That! Publishing plc
Tide Mill Way, Woodbridge, Suffolk, IP12 1AP, UK
www.topthatpublishing.com
Copyright © 2013 Top That! Publishing plc

1. Mother Nature

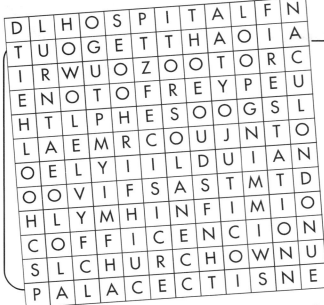

1. A small animal with a bushy tail (8)
2. A tall plant with a trunk and branches (4)
3. A series of tunnels where rabbits live (6)
4. A small red beetle with black spots (8)
5. Season between summer and winter (6)
6. It has a soft body, no bones and lives in the earth (4)
7. Dry soil found in the garden (5)
8. The oval nut of an oak tree (5)
9. They are flat and green and grow on branches (6)
10. A small animal with stiff spines on its back (8)

B	Q	R	S	S	Q	U	I	R	R	E	L
T	H	E	D	G	E	H	O	G	U	T	S
L	M	E	J	P	Z	R	O	L	V	Q	R
Z	I	R	J	A	C	O	R	N	L	N	Z
O	L	T	K	M	D	A	B	S	T	M	A
E	N	P	Q	A	R	N	A	B	H	L	O
A	L	A	D	Y	B	I	R	D	L	N	O
R	A	L	E	A	V	E	S	P	K	M	W
T	S	Y	L	W	A	T	S	M	R	U	D
H	R	A	D	L	Q	P	R	V	O	T	I
B	O	T	N	D	J	O	K	S	M	U	Q
N	E	R	R	A	W	V	T	W	R	A	P

2. Going Places

1. The capital city of England (6)
2. This is where firemen work (11)
3. Kings live in this sort of place (6)
4. Where children go to learn new things (6)
5. A place where you can go to swim (8,4)
6. A place to go when you're very ill or hurt (8)
7. People go here to work on computers (6)
8. Where planes take off and land (7)
9. Here you can see lots of different animals (3)
10. A place where people go to worship God (6)

D	L	H	O	S	P	I	T	A	L	F	N
T	U	O	G	E	T	T	H	A	O	I	A
I	R	W	U	O	Z	O	O	T	O	R	C
E	N	O	T	O	F	R	E	Y	P	E	U
H	T	L	P	H	E	S	O	O	G	S	L
L	A	E	M	R	C	O	U	J	N	T	O
O	E	L	Y	I	I	L	D	U	I	A	N
O	O	V	I	F	S	A	S	T	M	T	D
H	L	Y	M	H	I	N	F	I	M	I	O
C	O	F	F	I	C	E	N	C	I	O	N
S	L	C	H	U	R	C	H	O	W	N	U
P	A	L	A	C	E	C	T	I	S	N	E

3. Getting Around

1. A big vehicle which carries lots of passengers (3)
2. A fast vehicle which runs on tracks (5)
3. This vehicle takes you across the sky (9)
4. A large vehicle that takes objects by road (5)
5. A two-wheeled vehicle that you pedal (4)
6. You drive this small vehicle along the road (3)
7. This vehicle carries people and objects by sea (4)
8. It's larger than a car and smaller than a lorry (3)
9. A bike with an engine (9)
10. Wheeled objects attached to feet to get around (12)

N	M	C	E	B	O	A	T	M	S	T	S
V	O	D	A	F	D	R	O	R	H	U	E
H	T	O	L	Y	I	K	C	E	P	E	T
P	O	Z	C	D	S	R	S	T	N	Q	A
B	R	N	A	A	E	L	S	A	F	L	K
A	B	I	A	N	R	C	L	Z	G	S	S
T	I	A	M	A	N	P	T	O	E	R	R
G	K	R	Y	A	O	O	R	B	E	O	E
W	E	T	N	R	A	C	U	H	K	T	L
S	L	R	E	Z	N	A	C	Y	I	A	L
U	E	A	M	E	S	R	K	E	B	P	O
B	A	I	N	A	V	O	L	I	T	O	R

4. Down on The Farm

1. Rolls around in the mud, and has a curly tail (3)
2. This animal's coat is used to make wool (5)
3. An animal with a mane and long tail (5)
4. This hopping animal has soft fur and long ears (6)
5. This animal has feathers and lays eggs (7)
6. They are good at herding sheep (4)
7. A horned animal and some have beards (4)
8. A large animal which goes 'moo' (3)
9. A baby goat (3)
10. A male chicken (7)

S	R	A	B	B	I	T	U	N	T	Y	S
L	I	N	A	T	C	O	E	S	R	O	H
P	M	A	N	T	E	E	N	P	I	D	E
E	F	R	E	R	H	E	O	D	N	T	B
E	O	M	E	R	K	B	S	E	P	I	G
H	V	A	F	C	I	R	H	O	T	R	H
S	O	L	I	L	F	D	O	G	S	Z	G
T	E	H	Z	D	E	H	D	E	E	F	W
O	C	I	L	R	I	T	I	M	T	O	O
D	M	Q	T	A	O	G	T	E	H	T	C
I	I	G	T	O	N	M	A	N	N	O	I
K	R	H	R	O	O	S	T	E	R	W	S

5. Fantastic Food

L	A	E	R	E	C	A	Y	I	M	F	I
U	Y	A	S	E	R	D	T	O	A	S	T
T	O	R	W	Q	P	O	O	A	N	N	E
Y	L	L	B	H	E	K	D	J	T	P	H
L	O	A	E	G	A	S	U	A	S	I	S
L	O	S	I	T	M	C	Y	H	X	Z	I
E	H	E	P	O	T	A	T	O	B	S	F
J	P	I	N	E	A	P	P	L	E	H	A
O	R	Y	W	F	G	L	U	Y	I	K	N
T	C	A	K	E	G	U	S	O	U	T	S
K	T	O	E	G	V	C	H	P	E	A	S
L	A	T	E	R	U	A	P	L	S	E	A

1. A baked dessert which comes in many flavours (4)
2. These small green vegetables grow in a pod (4)
3. Finger-shaped meat which is great with mash (8)
4. You have this wobbly dessert with ice cream (5)
5. A yellow fruit with spiky green leaves on top (9)
6. Heated-up bread which has turned brown (5)
7. Sea-living food, often served with chips (4)
8. Hard-shelled food that comes from chickens (3)
9. A vegetable that can be boiled, roasted or fried (6)
10. Breakfast food that is delicious with milk (6)

6. Cool Colours

1. A mixture of red and blue (6)
2. Light red, the colour of fingernails (4)
3. The darkest colour (5)
4. The colour of 'stop' on traffic lights (3)
5. The colour of a lemon (6)
6. The lightest colour (5)
7. A mixture of red and yellow (6)
8. The colour of grass (5)
9. A yellow colour, used to make jewellery (4)
10. Another valuable object colour, very shimmering (6)

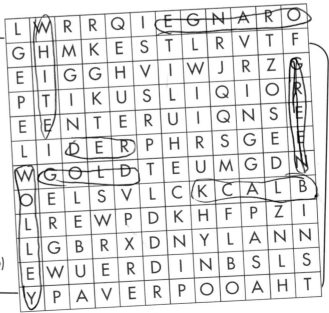

L	M	R	R	Q	I	E	G	N	A	R	O
G	H	M	K	E	S	T	L	R	V	T	F
E	I	G	G	H	V	I	W	J	R	Z	G
P	T	I	K	U	S	L	I	Q	I	O	R
E	E	N	T	E	R	U	I	Q	N	S	E
L	I	D	E	R	P	H	R	S	G	E	E
W	G	O	L	D	T	E	U	M	G	D	N
O	E	L	S	V	L	C	K	C	A	L	B
L	R	E	W	P	D	K	H	F	P	Z	I
L	G	B	R	X	D	N	Y	L	A	N	N
E	W	U	E	R	D	I	N	B	S	L	S
Y	P	A	V	E	R	P	O	O	A	H	T

7. In The Home

1. An object you put rubbish in (3)
2. Something you sleep in (3)
3. What you use to pick up dirt on the floor (6)
4. A four-legged object used to eat your tea on (5)
5. Something you lie in to wash or relax (4)
6. You need to go up these to get to the next floor (6)
7. Where books can be stored (8)
8. You heat water in this to make a cup of tea (6)
9. You watch your favourite programmes on it (10)
10. A very big chair for two or three people (5)

J	R	V	M	E	S	A	C	K	O	O	B
B	T	E	L	E	V	I	S	I	O	N	B
E	A	B	D	H	T	B	A	T	H	T	D
L	F	Y	X	C	W	G	A	Z	N	R	R
B	R	E	N	A	E	L	C	M	I	A	M
A	L	V	E	R	S	H	J	U	D	S	S
T	B	T	U	R	Q	C	T	U	L	H	K
A	C	N	I	O	K	U	P	C	K	B	E
R	A	A	O	N	E	O	V	A	L	I	T
C	T	S	I	U	R	C	T	V	B	N	T
S	Z	B	P	J	Z	D	K	P	S	T	L
S	F	I	L	M	D	E	B	R	V	Q	E

8. Toy Cupboard

B	A	R	B	I	E	F	G	Q	D	B	R
S	R	O	Z	T	W	A	S	G	I	J	L
S	K	I	P	P	I	N	G	R	O	P	E
M	N	O	I	T	A	T	S	Y	A	L	P
H	E	R	A	E	B	Y	D	D	E	T	G
R	O	C	K	I	N	G	H	O	R	S	E
Z	Y	X	D	V	N	H	B	K	K	F	Z
Q	N	L	M	C	A	O	A	I	O	H	I
O	P	U	W	K	M	B	K	J	O	J	D
A	C	T	I	O	N	M	A	N	B	J	O
C	O	L	O	U	R	I	N	G	B	K	L
R	T	S	E	L	B	R	A	M	F	G	L

1. A book with pictures in it to fill in the colours (9)
2. A furry toy animal you can cuddle (5, 4)
3. A blonde doll who has lots of different outfits (6)
4. Pieces which you put together to see a picture (6)
5. A games console on which you can play (11)
6. A wooden horse you can sit on and ride (7, 5)
7. A hero boy soldier toy you can play with (6, 3)
8. A girl toy you can dress up and style her hair (4)
9. A piece of thick cord with handles to jump over (8,4)
10. Round pieces of glass flicked at an opponent's (7)

9. At The Circus

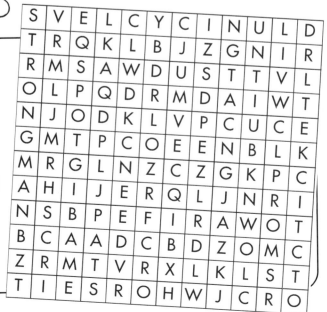

1. A swing on which acrobatics are performed (7)
2. A funny person who does comical tricks (5)
3. The circle in which circus people perform (4)
4. A man who can lift heavy things (6, 3)
5. A bike with one wheel that people do tricks on (8)
6. Powdery wood used for animals to walk on (7)
7. This cold treat is sold during the interval (3, 5)
8. You buy one of these to get into the circus (6)
9. A four-legged animal that performers ride on (5)
10. The big tent where the circus is held (3, 3)

S	V	E	L	C	Y	C	I	N	U	L	D
T	R	Q	K	L	B	J	Z	G	N	I	R
R	M	S	A	W	D	U	S	T	T	V	L
O	L	P	Q	D	R	M	D	A	I	W	T
N	J	O	D	K	L	V	P	C	U	C	E
G	M	T	P	C	O	E	E	N	B	L	K
M	R	G	L	N	Z	C	Z	G	K	P	C
A	H	I	J	E	R	Q	L	J	N	R	I
N	S	B	P	E	F	I	R	A	W	O	T
B	C	A	A	D	C	B	D	Z	O	M	C
Z	R	M	T	V	R	X	L	K	L	S	T
T	I	E	S	R	O	H	W	J	C	R	O

10. Girls' Names

1. Short for Joanne (2)
2. Short for Jennifer (5)
3. This girl's name starts with 'T' (6)
4. This name is also the name of a flower (4)
5. This woman was the mother of Jesus (4)
6. This five-letter name begins with 'S' (5)
7. This name is the same when it's spelt backwards (4)
8. This name can be shortened to 'Maggie' (8)
9. The Queen's name (9)
10. This pop star sang 'Sometimes' and 'Boys' (7)

Z	E	L	I	Z	A	B	E	T	H	X	O
X	M	E	I	L	N	D	Z	O	A	W	J
B	J	L	N	M	A	R	Y	B	C	T	S
M	D	T	E	R	A	G	R	A	M	R	P
K	V	R	C	I	B	Q	J	K	Z	O	Y
U	H	S	Y	E	N	T	I	R	B	V	E
K	A	O	U	S	R	O	J	P	I	H	C
L	R	M	K	O	C	M	A	E	P	R	A
D	A	B	S	T	Q	I	V	N	F	X	R
N	S	E	L	D	K	G	X	A	N	M	T
Z	I	V	N	W	O	B	W	B	Z	A	S
A	L	M	Z	R	J	E	N	N	Y	R	Z

11. At Work

1. He runs America (9)
2. They make ill people well again (7)
3. They take care of ill people (6)
4. They sing very well (7)
5. They help children to learn (8)
6. They grow crops and raise animals (7)
7. They put fires out and rescue people (12)
8. They make up stories and poems (6)
9. They sell and arrange flowers (7)
10. He plays different parts in films or plays (5)

B	C	N	S	T	W	R	I	T	E	R	S
F	L	O	R	I	S	T	R	U	N	A	R
S	D	O	C	T	O	R	S	U	U	R	E
R	Y	H	M	A	E	A	R	F	O	K	T
E	N	Y	C	R	I	S	L	T	B	Q	H
H	D	D	S	Z	E	O	C	O	W	V	G
C	R	K	I	S	L	A	P	L	T	B	I
A	T	N	E	D	I	S	E	R	P	E	F
E	Q	P	U	L	L	W	M	S	L	M	E
T	Z	L	W	R	E	K	M	F	K	I	R
F	X	S	R	E	M	R	A	F	Q	R	I
S	I	N	G	E	R	S	W	T	I	P	F

12. Wild Animals

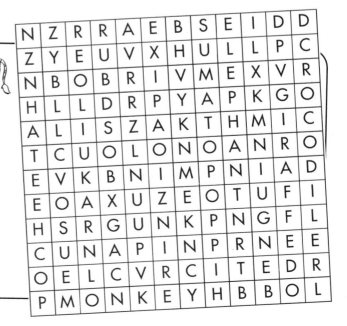

1. African animal with a very long neck (7)
2. Very large animal with a trunk and tusks (8)
3. This big cat is the fastest land animal (7)
4. Black and white, this looks like a horse (5)
5. A mischievous animal, similar to humans (6)
6. A big cat with a huge roar and a fur mane (4)
7. A black and white sea bird that eats fish (7)
8. A large swimming reptile with lots of teeth (9)
9. A large heavy animal with thick fur (4)
10. A big river animal with thick skin (12)

N	Z	R	R	A	E	B	S	E	I	D	D
Z	Y	E	U	V	X	H	U	L	L	P	C
N	B	O	B	R	I	V	M	E	X	V	R
H	L	L	D	R	P	Y	A	P	K	G	O
A	L	I	S	Z	A	K	T	H	M	I	C
T	C	U	O	L	O	N	O	A	N	R	O
E	V	K	B	N	I	M	P	N	I	A	D
E	O	A	X	U	Z	E	O	T	U	F	I
H	S	R	G	U	N	K	P	N	G	F	L
C	U	N	A	P	I	N	P	R	N	E	E
O	E	L	C	V	R	C	I	T	E	D	R
P	M	O	N	K	E	Y	H	B	B	O	L

13. Christmas

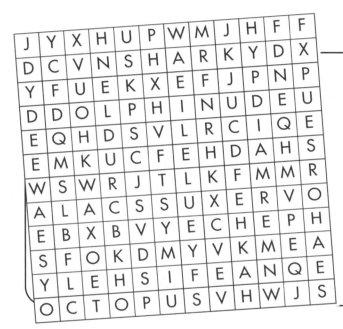

1. Presents are left in this (8)
2. This is decorated with tinsel and baubles (4)
3. Jewish holiday in December (8)
4. Traditional meat eaten at dinner (6)
5. You are given these at Christmas (8)
6. Father ____ gives presents to all children (9)
7. Baby Jesus was laid in this (6)
8. Eat this after the main course (7)
9. These special songs are sung at Christmas (6)
10. Chocolate cake eaten at Christmas (4, 3)

C	Z	C	S	A	M	T	S	I	R	H	C
M	M	A	N	G	E	R	O	Y	X	S	R
G	P	H	B	T	C	A	R	O	L	S	E
N	U	R	I	D	U	A	C	U	M	F	H
I	D	Z	H	M	W	R	P	A	T	N	T
K	D	A	T	A	V	S	K	M	O	I	A
C	I	M	X	L	K	L	Z	E	K	H	F
O	N	P	M	E	F	K	M	S	Y	Z	A
T	G	O	E	I	B	Q	U	D	F	W	Q
S	C	R	P	O	A	X	Y	N	N	W	B
N	T	Y	U	L	E	L	O	G	A	Z	X
Q	S	T	N	E	S	E	R	P	L	H	H

J	Y	X	H	U	P	W	M	J	H	F	F
D	C	V	N	S	H	A	R	K	Y	D	X
Y	F	U	E	K	X	E	F	J	P	N	P
D	D	O	L	P	H	I	N	U	D	E	U
E	Q	H	D	S	V	L	R	C	I	Q	E
E	M	K	U	C	F	E	H	D	A	H	S
W	S	W	R	J	T	L	K	F	M	M	R
A	L	A	C	S	S	U	X	E	R	V	O
E	B	X	B	V	Y	E	C	H	E	P	H
S	F	O	K	D	M	Y	V	K	M	E	A
Y	L	E	H	S	I	F	E	A	N	Q	E
O	C	T	O	P	U	S	V	H	W	J	S

14. Under The Sea

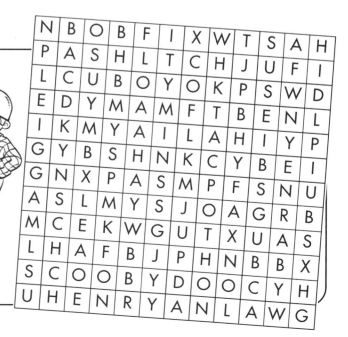

1. Shellfish with large claws (7)
2. Fishy horse (8)
3. Plant that grows in the sea (7)
4. Intelligent animal that plays in the sea (7)
5. Imaginary half-woman with a fish's tail (7)
6. A shellfish with ten legs (4)
7. Swimming sea creatures, nice with chips (4)
8. Large sea fish with lots of sharp teeth (5)
9. Moving ridges of water in the sea (5)
10. Large sea animal with eight tentacles (7)

15. TV Characters

1. Thomas the Tank Engine's pal (5)
2. He's also known as T.C. (3, 3)
3. This builder likes to fix things (3)
4. He's a big purple dinosaur (6)
5. This powerful man is very strong (5)
6. One of the *Rugrats* (5)
7. The name of the main tank engine (6)
8. ____ Bunny (4)
9. This crime-solving dog gets very scared (6, 3)
10. Dummy-sucking *Simpsons* character (6)

N	B	O	B	F	I	X	W	T	S	A	H
P	A	S	H	L	T	C	H	J	U	F	I
L	C	U	B	O	Y	O	K	P	S	W	D
E	D	Y	M	A	M	F	T	B	E	N	L
I	K	M	Y	A	I	L	A	H	I	Y	P
G	Y	B	S	H	N	K	C	Y	B	E	I
G	N	X	P	A	S	M	P	F	S	N	U
A	S	L	M	Y	S	J	O	A	G	R	B
M	C	E	K	W	G	U	T	X	U	A	S
L	H	A	F	B	J	P	H	N	B	B	X
S	C	O	O	B	Y	D	O	O	C	Y	H
U	H	E	N	R	Y	A	N	L	A	W	G

16. Family Fun

1. The man who brings you up (3)
2. Father of your mum or dad (7)
3. Mother of your mum or dad (7)
4. The child of your aunt or uncle (6)
5. Your brother or sister's daughter (5)
6. The woman who brings you up (3)
7. Daughter of the same parents as another person (6)
8. Sister or sister-in-law of your mum or dad (6)
9. Your brother or sister's son (6)
10. Son of the same parents as another person (7)

B	E	C	E	I	N	U	I	F	K	E	M
H	R	X	A	L	C	J	I	H	Z	U	W
N	E	P	H	E	W	S	X	B	M	R	P
I	S	C	B	A	M	D	N	A	R	G	U
Z	F	O	H	I	F	G	E	M	C	E	I
E	A	U	J	R	D	L	A	W	N	L	O
I	R	S	N	E	P	A	S	H	D	H	W
T	M	I	R	T	I	U	D	P	K	A	U
N	C	N	S	S	J	H	O	N	D	K	D
U	O	A	M	I	H	Z	E	I	A	Y	X
A	B	L	X	S	D	N	P	F	W	R	K
R	B	R	O	T	H	E	R	R	U	E	G

17. Clothes

1. Wear these to walk in (5)
2. An alternative to trousers (5)
3. Wear this over a T-shirt to keep you warm (6)
4. Wear these on your feet under shoes (5)
5. This top is shaped like a T (1, 5)
6. These pieces of fabric keep your legs warm (8)
7. Wear these under your clothes (9)
8. This is a combined skirt and top (5)
9. This goes over your clothes when you go outside (4)
10. This long woolly item keeps your neck warm (5)

G	S	E	O	H	S	Q	I	L	U	D	L
A	K	H	V	F	Y	R	B	G	M	R	F
U	M	X	R	I	E	N	R	U	O	E	A
I	N	A	O	P	F	U	N	V	K	S	T
H	C	L	M	H	Q	D	A	S	O	S	R
S	R	U	G	B	E	M	R	K	N	O	I
Y	J	E	K	R	H	E	H	H	I	M	H
N	U	V	W	L	S	Y	X	B	H	Q	S
F	Q	E	I	U	R	T	A	O	C	F	T
M	A	V	O	A	G	T	R	I	K	S	N
R	B	R	L	K	N	M	U	V	E	O	G
Y	T	R	I	U	S	O	C	K	S	Y	X

18. In the Garden

1. Use this to dig (5)
2. These plants aren't wanted (5)
3. Grow plants in this building (10)
4. You cut the grass with it (9)
5. A small house for children to play in (9)
6. A ceramic or plastic object to put plants in (6,3)
7. A wheeled object that carries heavy things (11)
8. Paved area where people can sit (5)
9. A beautiful plant with petals (6)
10. A wooden structure to separate gardens (5)

W	R	I	R	E	W	O	M	N	W	A	L
H	Y	J	T	A	L	P	A	T	I	O	B
E	F	D	K	O	T	R	B	L	G	N	D
E	L	E	L	N	P	E	T	Y	C	Z	S
L	O	A	C	B	Z	R	J	I	D	Q	D
B	W	G	W	N	D	H	E	U	C	U	E
A	E	R	Y	I	E	E	L	W	B	J	E
R	R	J	T	D	Q	F	B	K	O	L	W
R	K	T	A	B	K	N	G	T	I	L	K
O	U	P	D	W	Y	N	A	Q	U	Z	F
W	S	R	E	S	U	O	H	Y	A	L	P
J	K	G	R	E	E	N	H	O	U	S	E

19. Space

1. Earth's only natural satellite (4)
2. Someone who goes into outer space (9)
3. Large body in space that revolves around the sun (6)
4. This explosive thing shoots into space (6)
5. Reusable spacecraft (7)
6. Bodies of gas that shine in the sky (5)
7. The moon has none of this force on it (7)
8. Includes the sun and eight planets (5, 6)
9. The planet we live on (5)
10. Heavenly body with a luminous 'tail' (5)

Q	C	H	G	T	E	K	C	O	R	I	V
B	O	M	R	L	D	Q	Z	B	A	H	O
R	M	E	A	U	W	M	G	T	S	K	L
D	E	T	V	V	B	O	E	N	T	O	G
H	T	S	I	K	L	N	X	S	R	K	E
M	Z	Y	T	G	A	R	D	G	O	S	L
O	B	S	Y	L	H	M	T	K	N	W	T
O	I	R	P	V	T	U	H	Y	A	X	T
N	U	A	T	Q	B	T	I	L	U	O	U
S	K	L	D	S	R	D	Z	D	T	R	H
Q	G	O	H	A	X	N	V	O	N	M	S
Z	R	S	E	L	S	R	A	T	S	X	D

F	O	T	R	A	E	H	S	T	U	A	R
T	C	Z	Q	H	K	E	O	D	A	E	H
E	R	L	A	T	U	L	M	Z	K	B	N
E	K	N	M	U	S	C	L	E	Q	F	V
F	D	F	C	S	Q	N	V	E	S	T	P
S	L	R	E	O	A	M	N	A	R	E	T
A	T	Y	U	S	N	O	B	C	L	E	N
C	E	P	Q	C	B	T	K	B	R	N	O
F	Z	U	K	R	L	F	A	T	Z	K	H
S	L	I	A	N	R	E	G	N	I	F	B
R	P	C	L	Q	N	O	V	R	S	H	L
K	N	O	T	T	U	B	Y	L	L	E	B

20. The Body

1. You see with these (4)
2. Allows the leg to bend (4)
3. On top of your neck (4)
4. You walk on these (4)
5. You pick things up with these (5)
6. Tissue that allows us to move (6)
7. This pumps blood around the body (5)
8. This hard material part makes up the skeleton (4)
9. Also known as the navel (5, 6)
10. They are on the end of your fingers (11)

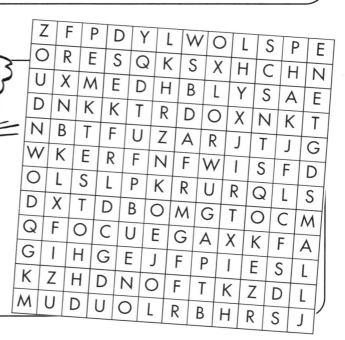

21. Opposites

1. The opposite of cold (3)
2. The opposite of thin (3)
3. The opposite of big (5)
4. The opposite of up (4)
5. The opposite of difficult (4)
6. The opposite of quiet (4)
7. The opposite of right (4)
8. The opposite of backwards (8)
9. The opposite of quickly (6)
10. The opposite of smooth (5)

Z	F	P	D	Y	L	W	O	L	S	P	E
O	R	E	S	Q	K	S	X	H	C	H	N
U	X	M	E	D	H	B	L	Y	S	A	E
D	N	K	K	T	R	D	O	X	N	K	T
N	B	T	F	U	Z	A	R	J	T	J	G
W	K	E	R	F	N	F	W	I	S	F	D
O	L	S	L	P	K	R	U	R	Q	L	S
D	X	T	D	B	O	M	G	T	O	C	M
Q	F	O	C	U	E	G	A	X	K	F	A
G	I	H	G	E	J	F	P	I	E	S	L
K	Z	H	D	N	O	F	T	K	Z	D	L
M	U	D	U	O	L	R	B	H	R	S	J

22. Magic

1. The magic word (11)
2. A magician's helper (9)
3. Pull this out of a hat (6)
4. Someone who performs magic (8)
5. Magicians perform these (6)
6. Tricks sometimes involve a pack of these (5)
7. A magic black and white stick (4)
8. Harry who is a famous young magician (6)
9. Wave this around to conceal things (12)
10. 'Hey _____' is the magic saying (6)

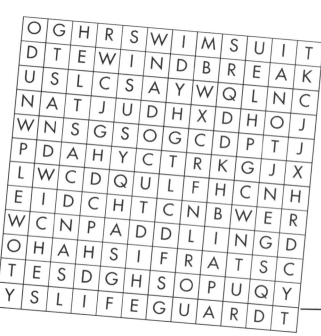

F	E	I	H	C	R	E	K	D	N	A	H
A	B	R	A	C	A	D	A	B	R	A	M
O	H	N	F	D	H	S	E	S	W	Q	A
T	L	K	J	H	S	O	N	N	L	J	A
S	E	A	B	D	V	A	M	K	H	S	R
E	M	W	R	L	I	R	F	C	S	S	A
R	D	A	Q	C	E	H	D	I	V	X	B
P	C	K	I	T	N	N	S	N	Q	K	B
S	F	G	T	A	E	T	D	C	M	S	I
L	A	O	J	O	A	B	W	N	L	F	T
M	P	H	V	N	B	K	D	M	A	S	A
A	Q	M	T	R	I	C	K	S	J	W	Z

23. The Beach

O	G	H	R	S	W	I	M	S	U	I	T
D	T	E	W	I	N	D	B	R	E	A	K
U	S	L	C	S	A	Y	W	Q	L	N	C
N	A	T	J	U	D	H	X	D	H	O	J
W	N	S	G	S	O	G	C	D	P	T	J
P	D	A	H	Y	C	T	R	K	G	J	X
L	W	C	D	Q	U	L	F	H	C	N	H
E	I	D	C	H	T	C	N	B	W	E	R
W	C	N	P	A	D	D	L	I	N	G	D
O	H	A	H	S	I	F	R	A	T	S	C
T	E	S	D	G	H	S	O	P	U	Q	Y
Y	S	L	I	F	E	G	U	A	R	D	T

1. A chair you sit on on the beach (9)
2. Splashing in the sea (8)
3. Dry yourself off with this (5)
4. A star-shaped sea creature (8)
5. Put this up to shelter you from wind (9)
6. These popular snacks can be eaten on the beach (10)
7. A little wooden shack on the beachfront (3)
8. A castle made with a bucket and spade (10)
9. Costume ladies wear (8)
10. Someone who watches swimmers in case they get into trouble (9)

24. Time

1. Ten years (6)
2. 60 seconds (6)
3. 60 minutes (4)
4. 365 days (4)
5. Wear this on your wrist to tell the time (5)
6. There are 60 of these in one minute (7)
7. Clock that beeps when it's time to get up (5)
8. There are twelve of these in a year (6)
9. There are seven of these each week (4)
10. A clock in a tall wooden case (11)

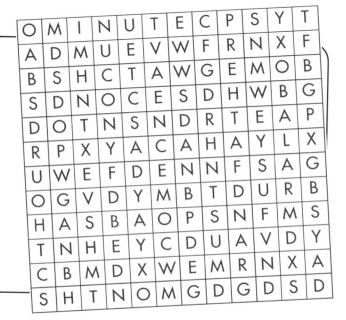

O	M	I	N	U	T	E	C	P	S	Y	T
A	D	M	U	E	V	W	F	R	N	X	F
B	S	H	C	T	A	W	G	E	M	O	B
S	D	N	O	C	E	S	D	H	W	B	G
D	O	T	N	S	N	D	R	T	E	A	P
R	P	X	Y	A	C	A	H	A	Y	L	X
U	W	E	F	D	E	N	N	F	S	A	G
O	G	V	D	Y	M	B	T	D	U	R	B
H	A	S	B	A	O	P	S	N	F	M	S
T	N	H	E	Y	C	D	U	A	V	D	Y
C	B	M	D	X	W	E	M	R	N	X	A
S	H	T	N	O	M	G	D	G	D	S	D

25. Drinks

1. Made with bags or leaves (3)
2. Apple or orange (5)
3. Ginger _____ (4)
4. Free and pure (5)
5. This type of drink has bubbles in it (5)
6. Made from beans (6)
7. Made from grapes, alcoholic (4)
8. Add this flavouring to water to make a drink (7)
9. Drink you can pour over your cereal (4)
10. Sweet that can also be a hot drink (9)

J	O	T	C	H	O	C	O	L	A	T	E
C	O	R	D	I	A	L	H	K	D	S	X
Y	C	B	E	D	A	Z	R	E	E	B	D
C	A	R	B	O	N	A	T	E	D	M	B
K	H	E	E	F	F	O	C	V	H	J	D
J	D	M	C	N	N	S	K	W	I	N	E
S	X	T	B	B	T	Y	O	N	L	H	K
S	E	B	H	I	Z	R	A	V	C	F	C
A	L	K	V	Z	B	J	R	E	T	A	W
W	N	M	I	Y	W	D	B	V	S	X	S
O	Z	F	F	M	I	L	K	N	A	O	L
I	A	S	N	M	C	J	U	I	C	E	Z

26. The Playground

G	L	Y	T	R	O	F	Y	S	E	E	K
K	E	L	N	I	J	D	S	I	O	Y	U
O	E	P	A	L	A	D	D	E	R	S	H
U	P	L	V	B	H	X	F	D	V	W	C
H	L	L	D	Z	T	D	F	K	U	G	T
B	K	I	A	A	S	O	P	X	I	M	O
E	F	N	W	Y	R	G	O	J	N	R	C
L	D	Y	T	R	T	C	T	F	H	Y	S
L	S	H	T	A	G	I	S	X	D	F	P
I	J	I	K	V	F	I	M	T	K	F	O
G	N	I	P	P	I	K	S	E	A	N	H
P	F	N	X	Z	H	W	T	V	J	C	S

1. A break between lessons when children play (8)
2. A game played with elastic (4, 6)
3. You have to touch another person in this game (3)
4. Hide and _____ (4)
5. A game where you kick a ball (8)
6. This rings to signal the end of break (4)
7. A hop, skip and jump game (9)
8. Stuck in the ___ (3)
9. Jumping with a rope (8)
10. Snakes and _____ (7)

27. Party Time

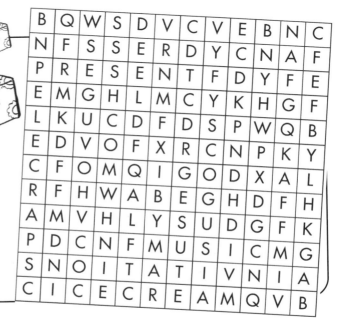

1. Dance to this (5)
2. Munchies for the party (4)
3. A gift for the host (7)
4. What you might get at the end of a party (3)
5. Hope you have a _____ birthday (5)
6. You might wear this to the party (5, 5)
7. Have this treat with jelly (3, 5)
8. Pass this on to get a prize (6)
9. You need one of these to be invited (10)
10. In musical _____ you should sit down when
    the music stops (6)

B	Q	W	S	D	V	C	V	E	B	N	C
N	F	S	S	E	R	D	Y	C	N	A	F
P	R	E	S	E	N	T	F	D	Y	F	E
E	M	G	H	L	M	C	Y	K	H	G	F
L	K	U	C	D	F	D	S	P	W	Q	B
E	D	V	O	F	X	R	C	N	P	K	Y
C	F	O	M	Q	I	G	O	D	X	A	L
R	F	H	W	A	B	E	G	H	D	F	H
A	M	V	H	L	Y	S	U	D	G	F	K
P	D	C	N	F	M	U	S	I	C	M	G
S	N	O	I	T	A	T	I	V	N	I	A
C	I	C	E	C	R	E	A	M	Q	V	B

28. Holidays

1. Send these to your friends (9)
2. Pack your clothes in this (8)
3. Where you catch the aeroplane from (7)
4. A building to stay in with lots of rooms (5)
5. Use this to find your way around (3)
6. A roll-up bag you sleep in (8, 3)
7. A mobile home you can stay in (7)
8. A material home held up with poles (4)
9. Don't forget this to clean your teeth with (10)
10. We hope the weather is like this (5)

```
T E N T G B F D S W E Q
A M E K B N A V A R A C
S L E E P I N G B A G F
L P H S U R B H T O O T
N O F J R H U Q H D E D
W S S U N N Y F G F S N
G T B E M L D V A B A L
Q C D F A E E N Q R C W
K A S D J H W T B U T K
E R B P A M G E O D I J
N D L F R M S H Q H U B
S S T R O P R I A F S A
```

29. Farmyard Animals

1. The male of this animal is called a gander (5)
2. The male of this animal is called a billy (4)
3. This bird lives on water and quacks (4)
4. A small furry domesticated animal (3)
5. A female chicken (3)
6. A male version of a cow (4)
7. A large bird that gobbles (6)
8. A baby sheep (4)
9. A baby dog (5)
10. A mammal found on South American farms (5)

```
M J L N D F V H B C N X
L N K T I K Q N E H H K
L G O O S E U E D V I Y
A C E D U C K M D G K E
M X J H X C H I C L T K
A T C N X H B Y V B V R
D A B K G N E J P N M U
F O L V T D C B G P U T
G G I K Q M M J H Q U X
V X E B U A F X D T L P
B U L L L F N K K I C J
C J M Q G E T A C V F B
```

30. Bedtime

1. A girl wears this to sleep in (7)
2. Something you rest your head on (6)
3. You may drink this before you go to bed (5)
4. Pictures that you see when you are asleep (6)
5. Mummy might come and ___ you into bed (4)
6. Turn this out before you go to sleep (5)
7. Read or listen to one at bedtime (5)
8. This toy may sleep with you (5)
9. Drink this warm before bed (4)
10. Have a hug and a ____ before bed (4)

```
G J K B V C F D S W H S
Q E I T H G I N R T Y C
S K W Z C U I K L I M I
K W I Q V G M S C C F T
C B X S J G M C N X W Q
U T H R S A F W K A G J
T E D Y E M T H T C I S
K D V R C V B E Z V H T
G D D W U Q R U J B D O
F Y C H R X K C F S W R
S B Z F T W O L L I P Y
X T H G I L Y D H G V K
```

31. The Desert

1. A prairie wolf (6)
2. The sun's warmth (4)
3. A pool of water in the desert (5)
4. This animal has one or two humps (5)
5. A reptile with four legs and a long tail (6)
6. A tree with large leaves and no branches (4, 4)
7. An optical illusion caused by the atmosphere (6)
8. Fine fragments of crushed rock (4)
9. Small creature with a sting in its long tail (8)
10. There isn't much of this drink in the desert (5)

B	M	N	H	U	S	A	N	D	I	D	F
H	I	G	K	T	Y	U	G	N	H	C	O
N	R	V	B	D	L	F	C	E	U	A	T
U	A	C	H	B	I	F	R	D	S	X	N
E	G	X	E	G	Z	T	E	I	V	G	O
T	E	G	E	I	A	U	S	H	T	B	I
O	U	F	R	K	R	L	T	N	G	Y	P
Y	E	N	T	D	D	C	E	I	D	R	R
O	V	I	M	B	N	F	E	M	U	F	O
C	U	G	L	H	T	X	G	K	A	N	C
B	R	T	A	E	H	Y	V	B	G	C	S
K	D	E	P	D	R	E	T	A	W	I	H

32. Flowers

1. A funnel-shaped flower (4)
2. An arrangement of flowers (7)
3. A flower that is named after the Sun (9)
4. A wild plant with yellow, cup-shaped flowers (9)
5. A small flower with white petals (5)
6. A coloured outer part of a flower head (5)
7. A green, flat organ that grows from the stem (4)
8. Member of the violet family, with broad petals (5)
9. Rearrange the letters of 'sore' to make this flower (4)
10. A prickly plant associated with Christmas (5)

J	K	N	P	A	N	S	I	E	V	H	C
X	D	A	D	A	I	S	Y	R	F	O	J
H	R	T	N	Y	S	N	A	P	G	L	K
P	C	E	B	J	F	G	D	U	C	L	X
P	N	F	W	Z	F	K	G	C	N	Y	A
E	E	G	E	O	M	B	D	R	V	J	Y
T	V	F	N	E	L	A	M	E	N	T	L
A	K	H	S	S	X	F	P	T	Q	E	I
L	M	O	Z	B	D	R	N	T	N	S	L
J	R	D	E	P	A	T	S	U	H	G	K
X	A	T	E	U	Q	U	O	B	S	J	P
D	N	G	M	V	Q	N	G	F	A	E	L

33. The Letter 'W'

1. Opposite of man (5)
2. Opposite of black (5)
3. Wear this on your wrist (5)
4. Use a pen to do this (5)
5. It runs in streams (5)
6. Birds use them to fly (5)
7. Humpty Dumpty sat on one (4)
8. Do this to clean yourself (4)
9. Cats have them on their faces (8)
10. Keep your clothes in this cupboard (8)

W	V	H	F	W	A	T	E	R	F	D	S
A	D	C	E	D	W	R	I	T	E	W	R
L	R	T	E	S	X	W	Y	N	W	H	G
L	K	S	J	J	R	O	Y	R	E	I	S
W	N	D	F	S	H	E	R	I	A	T	W
G	F	T	G	C	I	P	K	D	K	E	C
D	X	N	A	F	S	H	R	S	G	S	V
Y	I	E	V	T	N	T	S	E	I	G	S
W	W	H	R	A	G	X	N	A	F	H	E
V	K	S	M	D	S	S	Y	C	W	T	W
T	F	O	G	A	W	A	T	C	H	T	F
S	W	A	R	D	R	O	B	E	E	A	S

34. The Letter 'S'

1. You get one of these if you stay in the sun (6)
2. Wear these on your feet around the house (8)
3. The green supporting part of a plant (4)
4. A precious metal and a colour (6)
5. Words and music make a ____ (4)
6. The number between six and eight (5)
7. Close your eyes and go to ____ (5)
8. A soft-bodied animal with a shell (5)
9. These twinkle in the night sky (5)
10. An apology (5)

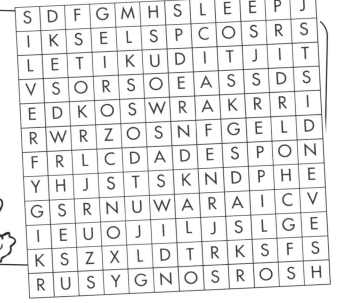

S	D	F	G	M	H	S	L	E	E	P	J
I	K	S	E	L	S	P	C	O	S	R	S
L	E	T	I	K	U	D	I	T	J	I	T
V	S	O	R	S	O	E	A	S	S	D	S
E	D	K	O	S	W	R	A	K	R	R	I
R	W	R	Z	O	S	N	F	G	E	L	D
F	R	L	C	D	A	D	E	S	P	O	N
Y	H	J	S	T	S	K	N	D	P	H	E
G	S	R	N	U	W	A	R	A	I	C	V
I	E	U	O	J	I	L	J	S	L	G	E
K	S	Z	X	L	D	T	R	K	S	F	S
R	U	S	Y	G	N	O	S	R	O	S	H

K	O	S	U	N	G	L	A	S	S	E	S
L	R	E	V	O	C	R	E	D	N	U	K
A	E	N	O	H	P	E	L	I	B	O	M
R	E	D	O	C	V	J	E	A	E	R	I
S	O	T	L	A	K	F	L	T	S	L	O
J	E	W	I	P	N	L	G	B	A	A	J
F	R	A	O	N	E	T	E	R	C	E	S
K	V	R	K	R	J	J	P	W	F	N	O
C	D	A	B	T	S	R	I	S	E	B	K
A	M	M	G	P	K	L	O	E	I	P	V
L	U	E	J	F	A	V	A	M	R	K	J
B	S	I	O	W	N	M	A	T	B	G	R

35. Spies

1. Leaving something to be picked up later is called a dead ____ (4)
2. Spies carry important things in this (9)
3. Spies who are on a secret mission are said to have gone _____ (10)
4. To help you find your way (3)
5. Write your message in ____ to keep it secret (4)
6. Something which not many people know (6)
7. Spies wear this colour to go unnoticed (5)
8. Spies wear these to cover their eyes (10)
9. Use this to get in touch with other spies (6, 5)
10. Spies use these to keep dry in the rain (8)

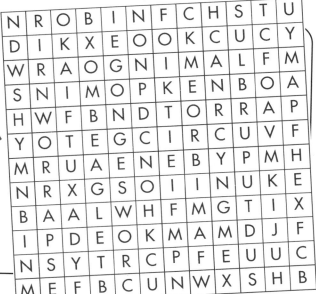

36. Birds

1. Powerful bird of prey (5)
2. A small brown-grey bird (7)
3. Nickname for the budgerigar (6)
4. A small bird with a red breast (5)
5. A brightly coloured bird that talks (6)
6. A large blackbird with a harsh cry (4)
7. This bird lays its eggs in other birds' nests (6)
8. Large bird from Australia that doesn't fly (3)
9. A pink-feathered bird with long legs (8)
10. Can hover in the air, this bird's wings hum (11)

N	R	O	B	I	N	F	C	H	S	T	U
D	I	K	X	E	O	O	K	C	U	C	Y
W	R	A	O	G	N	I	M	A	L	F	M
S	N	I	M	O	P	K	E	N	B	O	A
H	W	F	B	N	D	T	O	R	R	A	P
Y	O	T	E	G	C	I	R	C	U	V	F
M	R	U	A	E	N	E	B	Y	P	M	H
N	R	X	G	S	O	I	I	N	U	K	E
B	A	A	L	W	H	F	M	G	T	I	X
I	P	D	E	O	K	M	A	M	D	J	F
N	S	Y	T	R	C	P	F	E	U	U	C
M	E	F	B	C	U	N	W	X	S	H	B

37. Creepy Crawlies

1. A flying insect which is black and yellow (3)
2. Rearrange the letters WIGEAR for this insect (6)
3. Small flying insect that carries disease (8)
4. Has a hard body and biting mouthparts (6)
5. A common small flying insect that buzzes (3)
6. It burrows in soil and has a long body (4)
7. A jumping insect that chirps loudly (7)
8. It has two pairs of wings, strong jaws and a sting (4)
9. An insect that can hop, walk and fly (11)
10. This catches other insects while flying (9)

R	I	S	T	U	I	C	K	L	P	M	V
N	G	R	A	S	S	H	O	P	P	E	R
S	F	H	E	W	Q	R	G	B	B	I	W
E	M	Y	L	F	N	O	G	A	R	D	P
L	C	C	R	B	L	Z	S	K	G	L	S
R	R	K	E	E	B	R	E	C	T	G	A
W	I	T	S	U	H	I	L	F	V	K	W
O	C	I	P	E	C	N	T	K	M	H	Y
R	K	G	I	W	R	A	E	R	B	L	R
M	E	V	K	I	W	G	E	Q	F	I	N
U	T	H	R	F	T	P	B	S	Z	C	K
N	C	O	T	I	U	Q	S	O	M	U	E

38. Jewellery

1. Wear this on your wrist (8)
2. Wear this round your neck (8)
3. The fastening on a chain (5)
4. Wear this round your ankle (6)
5. These go in your ears (8)
6. Lots of jewellery is made from this precious metal (4)
7. This intricate item is worn on your head (5)
8. Wear this when you get engaged or married (4)
9. This jewellery goes round your waist (10)
10. These gems are found in oysters (6)

K	L	N	I	A	H	C	Y	L	L	E	B
D	P	E	A	R	L	S	V	X	U	E	R
R	J	E	C	A	L	K	C	E	N	N	S
S	N	W	O	B	L	R	Q	K	D	I	Z
G	A	U	J	R	W	C	L	A	S	P	R
N	N	B	E	A	D	L	N	W	S	L	J
I	K	V	J	C	Y	B	E	H	J	A	K
R	L	X	D	E	I	D	E	O	R	Q	S
R	E	O	W	L	L	S	B	A	R	F	D
L	T	K	Q	E	Z	U	I	D	W	B	L
N	E	S	R	T	O	T	J	V	J	I	O
L	S	G	N	I	R	R	A	E	W	X	G

39. Boys' Names

1. Can be shortened to Andy (6)
2. The first man on Earth (4)
3. A shortened version of Robert (3)
4. Name that rhymes with 'five' (5)
5. Little ____ who was a friend of Robin Hood (4)
6. The Prince of Wales, was married to Diana (7)
7. This piper picked a peck of pickled peppers (5)
8. Shortened version of Anthony (4)
9. Name that rhymes with 'park' (4)
10. Bill is a shortened version of this name (7)

S	D	K	O	M	A	R	K	P	V	W	Q
Y	U	C	L	I	V	E	B	R	D	L	Y
B	H	N	D	H	U	G	W	F	N	D	N
V	Q	S	P	Z	I	X	H	G	N	S	O
A	R	E	L	W	K	U	I	H	V	K	T
N	P	L	H	I	D	C	O	P	B	P	D
D	W	R	S	L	B	J	O	Y	R	U	H
R	F	A	D	L	G	G	Q	V	I	N	M
E	L	H	N	I	U	H	X	B	K	L	A
W	Y	C	Z	A	P	B	O	B	D	O	D
Q	D	K	G	M	F	R	P	Z	S	W	A
B	V	D	R	E	T	E	P	I	N	Y	C

40. Countries

1. Country famous for chocolate and yodelling (11)
2. The president of this country lives in a White House (7)
3. This country is shaped a bit like a boot (5)
4. This country is associated with the Berlin Wall (7)
5. London is the capital of this country (7)
6. The warm land of flamenco dancing (5)
7. This country has a Great Wall (5)
8. Home to the Barrier Reef (9)
9. Associated with flat land and tulips (7)
10. Home of Paris and the Eiffel Tower (6)

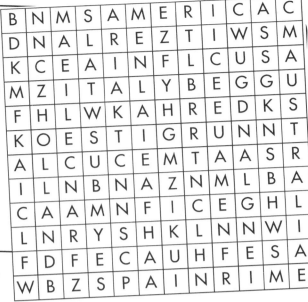

B	N	M	S	A	M	E	R	I	C	A	C
D	N	A	L	R	E	Z	T	I	W	S	M
K	C	E	A	I	N	F	L	C	U	S	A
M	Z	I	T	A	L	Y	B	E	G	G	U
F	H	L	W	K	A	H	R	E	D	K	S
K	O	E	S	T	I	G	R	U	N	N	T
A	L	C	U	C	E	M	T	A	A	S	R
I	L	N	B	N	A	Z	N	M	L	B	A
C	A	A	M	N	F	I	C	E	G	H	L
L	N	R	Y	S	H	K	L	N	N	W	I
F	D	F	E	C	A	U	H	F	E	S	A
W	B	Z	S	P	A	I	N	R	I	M	E

L	O	E	L	L	E	Z	A	G	M	D	S
D	C	R	U	Y	W	U	T	V	B	D	N
M	L	H	C	K	B	A	B	O	O	N	D
H	W	V	I	D	X	E	K	A	N	S	R
U	T	L	N	M	D	M	A	Q	J	Y	N
S	S	E	A	L	P	U	S	O	G	R	O
K	U	S	R	Y	H	A	C	K	W	H	O
Y	R	O	V	H	Y	E	N	A	L	D	S
W	L	M	A	U	T	A	Q	Z	D	C	A
C	A	K	D	L	N	Y	W	V	E	M	B
R	W	X	R	A	U	G	A	J	O	E	T
A	T	L	E	O	P	A	R	D	S	U	N

41. Wild Animals

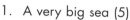

1. An African ape (10)
2. A slithery reptile with no legs (5)
3. A kind of large monkey (6)
4. A small antelope (7)
5. Sea animal with thick skin (4)
6. Arctic sledge-dog (5)
7. A big cat that cannot change its spots (7)
8. A large seal-like animal with long tusks (6)
9. Large meat-eating animal of the cat family (6)
10. An animal with a howl that sounds like laughter (5)

42. The Sea

1. A very big sea (5)
2. Vessel for travelling on water (4)
3. A very big sea mammal (5)
4. Sea creature with ten arms round its mouth (5)
5. A tower with a light to warn or guide ships (10)
6. A fierce tropical fish (7)
7. Sea creature with eight tentacles (7)
8. A vessel that can operate under water (9)
9. Someone who dives under water (5)
10. Someone who rescues swimmers from danger (9)

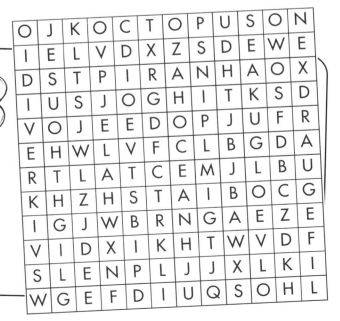

O	J	K	O	C	T	O	P	U	S	O	N
I	E	L	V	D	X	Z	S	D	E	W	E
D	S	T	P	I	R	A	N	H	A	O	X
I	U	S	J	O	G	H	I	T	K	S	D
V	O	J	E	E	D	O	P	J	U	F	R
E	H	W	L	V	F	C	L	B	G	D	A
R	T	L	A	T	C	E	M	J	L	B	U
K	H	Z	H	S	T	A	I	B	O	C	G
I	G	J	W	B	R	N	G	A	E	Z	E
V	I	D	X	I	K	H	T	W	V	D	F
S	L	E	N	P	L	J	J	X	L	K	I
W	G	E	F	D	I	U	Q	S	O	H	L

43. Weather

1. Wet drops that fall (4)
2. How hot or cold it is (11)
3. The light of the sun (8)
4. Wear these in the rain (5)
5. This can be forked or sheet (9)
6. Violent storm-wind (9)
7. Frozen white flakes (4)
8. A mass of watery vapour in the sky (5)
9. A description of the weather by an announcer (5)
10. Frozen dew or vapour (5)

I	T	E	M	P	E	R	A	T	U	R	E
H	G	O	N	S	T	G	K	M	I	E	B
V	N	B	F	R	O	S	T	R	O	N	T
O	I	M	Q	Z	V	C	G	B	V	I	H
K	N	E	N	A	C	I	R	R	U	H	S
B	T	C	I	R	E	P	O	R	T	S	O
O	H	B	G	O	C	H	F	R	C	N	I
O	G	S	T	D	N	C	S	L	I	U	K
T	I	V	N	M	U	V	K	N	Q	S	M
S	L	R	I	H	Z	O	V	B	O	N	N
E	O	Q	A	I	G	V	L	T	G	W	M
S	N	K	R	L	K	J	H	C	H	S	Z

H	A	R	V	E	S	T	M	A	N	R	C
N	R	H	T	Y	R	U	B	K	N	Y	W
T	E	Q	C	E	N	T	I	P	E	D	E
W	T	Z	O	D	I	K	G	J	S	H	I
O	A	R	C	H	G	J	S	G	D	H	U
O	K	L	K	B	W	L	N	H	C	T	F
D	S	S	R	Y	U	S	F	E	R	G	H
W	D	I	O	G	Z	S	E	E	D	H	G
O	N	N	A	T	K	L	D	I	U	Q	L
R	O	Y	C	B	H	I	N	L	T	B	O
M	P	N	H	D	P	G	T	W	U	N	J
K	S	R	L	S	N	A	I	L	T	Z	A

44. Creepy Crawlies

1. A bug that walks on water (10)
2. A creature with eight legs (6)
3. This travels in armies and makes holes (3)
4. Also known as a daddy long-legs (8)
5. A beetle-like insect with a hard body (9)
6. A small, crawling insect with many legs (9)
7. Mollusc famous for being so slow (5)
8. A small, slimy animal (4)
9. A small, bloodsucking worm (5)
10. Larva of a kind of beetle that bores in wood (8)

45. Characters

1. Pumba's friend (6)
2. The cowboy from *Toy Story* (5)
3. The loveable deer (5)
4. Astronaut called Buzz (9)
5. He was friends with Tinkerbell (5, 3)
6. The female version of He-man (5)
7. Was the beauty to the beast (5)
8. The baby lion from *The Lion King* (5)
9. The lobster friend of Ariel (9)
10. The friendly giant in Harry Potter books (6)

J	O	B	I	V	H	A	G	R	I	D	R
B	E	L	L	E	A	J	E	S	O	R	W
Y	C	J	Y	D	O	O	W	D	G	A	C
I	S	R	H	G	V	Y	C	K	J	E	N
O	H	E	W	J	N	J	M	X	C	Y	A
X	E	T	A	N	A	R	B	O	B	T	I
B	R	I	S	C	P	H	A	K	R	H	T
E	A	M	R	N	R	I	M	E	D	G	S
D	Y	O	C	V	E	O	B	N	C	I	A
S	V	N	I	E	T	W	I	A	X	L	B
N	J	E	H	N	E	S	C	V	J	V	E
S	I	M	B	A	P	B	C	O	Y	I	S

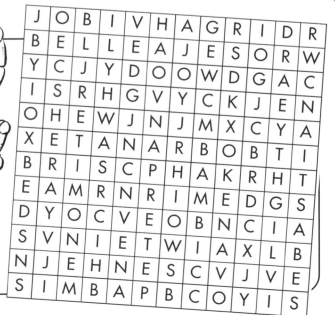

46. Films

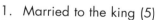

1. Who stole Christmas? (6)
2. There were 101 of them (10)
3. Nanny who was actually a man, Mrs ____ (9)
4. This film has Woody and Slinky in it (3, 5)
5. A strong man who goes green when angry (4)
6. Dog which was partner to Lady (5)
7. Ariel is this type of creature (7)
8. A film about a girl with ugly sisters (10)
9. Which creature did Beauty fall in love with? (5)
10. Simba the lion's dad, ____ of the jungle (4)

G	B	L	M	E	R	M	A	I	D	L	D
N	C	A	S	F	E	T	X	H	N	O	G
I	O	L	B	E	A	S	T	R	U	I	S
K	N	L	H	D	M	W	E	B	L	B	N
F	G	E	R	I	H	Y	T	K	D	M	A
K	D	R	I	W	H	F	S	G	I	T	I
L	E	E	T	B	I	K	C	O	X	F	T
U	C	D	O	R	G	R	I	N	C	H	A
H	L	N	E	H	N	F	E	M	R	D	M
S	H	I	R	G	P	M	A	R	T	H	L
T	F	C	X	D	O	C	T	I	B	N	A
E	T	O	Y	S	T	O	R	Y	L	S	D

47. Games

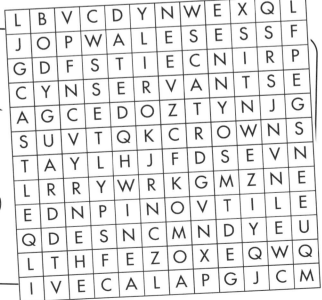

1. Hunt the mouse (9)
2. Buy houses and hotels to win (8)
3. Go up these and watch out for snakes (7)
4. Put your hands and feet on the coloured dots (7)
5. Become a doctor with this game (9)
6. Draw pictures and guess the word (10)
7. Put letter tiles together to form words (8)
8. This pack of 52 provides many games (5)
9. Guess the murderer, place and weapon (6)
10. Remove the blocks without toppling the lot (5)

I	L	M	N	R	S	T	U	W	C	B	P
H	Y	R	A	N	O	I	T	C	I	P	E
O	P	E	R	A	T	I	O	N	T	D	T
P	W	Y	B	I	E	K	Y	G	M	L	W
A	S	L	U	S	C	F	G	D	I	B	I
R	C	O	N	L	R	J	S	Y	N	H	S
T	R	P	M	P	T	E	E	H	T	D	T
E	A	O	I	R	E	D	D	N	E	P	E
S	B	N	H	D	L	B	K	D	G	W	R
U	B	O	S	D	R	A	C	U	A	A	C
O	L	M	U	P	M	T	I	N	E	L	T
M	E	S	C	L	U	E	D	O	R	L	H

48. Royalty

1. Married to the king (5)
2. Home for royalty (6)
3. A special chair that royals sit on (6)
4. Eight kings of England have had this name (5)
5. Beautiful jewellery worn on the head (5)
6. Windsor C____, a royal home (6)
7. Royalty have these people to do things for them (8)
8. The son of the king and queen (6)
9. A person who guards the royal family (9)
10. Prince Charles is the Prince of ____ (5)

L	B	V	C	D	Y	N	W	E	X	Q	L
J	O	P	W	A	L	E	S	E	S	S	F
G	D	F	S	T	I	E	C	N	I	R	P
C	Y	N	S	E	R	V	A	N	T	S	E
A	G	C	E	D	O	Z	T	Y	N	J	G
S	U	V	T	Q	K	C	R	O	W	N	S
T	A	Y	L	H	J	F	D	S	E	V	N
L	R	R	Y	W	R	K	G	M	Z	N	E
E	D	N	P	I	N	O	V	T	I	L	E
Q	D	E	S	N	C	M	N	D	Y	E	U
L	T	H	F	E	Z	O	X	E	Q	W	Q
I	V	E	C	A	L	A	P	G	J	C	M

49. The Letter 'P'

1. A yellow vegetable (7)
2. A talking bird (6)
3. You post letters in this (7)
4. A baby is pushed around in this (4)
5. A farmyard animal (3)
6. A bird commonly associated with a pear tree (9)
7. You wear these to bed (7)
8. An evil sailor who steals treasure (6)
9. A leopard (7)
10. Another word for a couple or two of something (4)

A	P	Y	J	A	M	A	S	T	O	N	A
R	D	P	T	P	N	G	P	A	S	E	P
D	P	A	R	T	R	I	D	G	E	O	R
P	O	N	A	R	E	H	T	N	A	P	D
A	P	E	S	U	R	C	H	A	J	N	X
S	I	G	T	P	I	R	A	T	E	G	O
R	N	A	A	O	D	P	N	U	T	M	B
N	S	H	R	M	A	D	A	O	D	P	T
U	R	P	I	G	E	G	R	T	R	E	S
T	A	C	A	U	P	R	A	M	A	G	O
A	P	R	P	J	A	G	P	S	O	C	P
K	M	A	O	P	D	G	R	U	K	P	T

50. School

1. Eat this at school (6)
2. School's out! (7)
3. You may have to wear this at school (7)
4. Use this to draw straight lines (5)
5. The periods where you learn about the subjects (7)
6. Girls wear this for P.E. (8)
7. This person teaches you (7)
8. The teacher writes on this with chalk (10)
9. Work you have to do after school (8)
10. Written tests that may be longer than other tests (5)

B	L	E	S	S	O	N	S	T	J	L	I
K	U	F	O	E	R	E	H	C	A	E	T
H	B	M	I	B	V	S	W	X	M	K	T
O	L	S	T	J	L	F	S	R	D	A	N
M	A	T	U	K	G	Q	O	A	G	Y	X
E	C	R	S	U	F	F	D	M	A	U	Z
W	K	I	O	T	I	B	J	D	S	W	S
O	B	K	D	N	V	I	I	T	G	M	R
R	O	S	U	M	E	L	S	S	A	Q	E
K	A	M	K	U	O	X	O	X	L	B	L
S	R	Y	J	H	W	G	E	D	S	F	U
O	D	G	I	R	E	N	N	I	D	V	R

51. Food

1. Menthol herb (4)
2. Part of a pig (5)
3. A beef pattie in a bun with relish (6)
4. Roast dinner is usually eaten on this day (6)
5. This quick snack is made from potatoes (5)
6. Sauce made from cooked meat juices (5)
7. Sweet pudding that comes after dinner (7)
8. This round fruit grows on trees (5)
9. The inside part of a sandwich (7)
10. This fruit is often given to ill people (6)

D	E	S	S	E	R	T	L	B	U	A	G
W	R	E	A	T	H	R	W	B	M	S	R
Y	V	A	R	G	L	Y	E	L	O	H	A
A	E	H	A	Y	T	F	A	G	Y	O	P
S	U	N	D	A	Y	I	E	L	R	J	E
U	N	E	M	O	M	A	C	B	K	U	S
D	E	W	H	I	T	H	U	T	H	A	B
J	L	L	B	N	I	M	A	E	N	I	S
K	P	T	A	P	Y	F	K	D	E	I	W
E	P	S	S	I	N	S	E	L	O	B	M
I	A	P	N	G	E	N	O	C	A	B	D
Y	M	G	N	I	L	L	I	F	E	A	E

52. Christmas

1. The kissing plant (9)
2. He has a carrot for a nose (7)
3. Hang this on the tree (6)
4. Rudolph is one (8)
5. Type of song sung at Christmas (5)
6. Another name for Father Christmas (5)
7. A festive arrangement of flowers (6)
8. Santa's reindeers pull this with presents on (6)
9. Drape this over the tree (6)
10. A heavenly being that goes on top of the tree (5)

K	D	U	V	I	S	E	L	B	U	A	B
W	R	E	A	T	H	F	G	X	E	A	W
L	E	P	F	N	A	M	W	O	N	S	K
S	E	J	K	N	K	H	C	E	I	K	U
H	D	A	L	H	G	I	E	L	S	I	E
F	N	E	I	C	O	A	L	M	F	J	N
K	I	U	V	Y	T	K	H	O	N	A	F
D	E	G	W	N	S	D	E	E	R	L	Y
P	R	X	A	F	L	F	K	V	U	A	G
J	W	S	T	I	N	S	E	L	W	E	C
F	P	A	N	G	E	L	A	S	I	J	X
V	M	I	S	T	L	E	T	O	E	L	D

53. Clothes

1. A coat to wear when it rains (3)
2. Wear this on your head (3)
3. Waist-length sleeveless jacket (9)
4. Two-piece swimming costume (6)
5. Indian women wear this (4)
6. A skirt worn under your clothes (9)
7. Wear these to keep your hands warm (6)
8. Trousers also known as pedal pushers (5)
9. Wear this under your top to stay warm (10)
10. Tartan skirt worn as part of Highland dress (4)

C	A	P	R	I	E	D	C	U	R	E	R
T	O	C	Y	S	A	G	V	T	A	V	T
C	V	S	W	F	J	L	A	B	I	C	R
N	A	E	Z	T	U	O	I	X	N	T	I
J	R	M	S	Y	C	V	K	J	C	A	H
T	V	D	F	T	I	E	H	D	O	O	S
I	R	A	S	G	D	S	O	C	A	C	R
U	B	I	G	F	C	S	W	E	T	I	E
E	A	S	F	A	J	R	U	I	S	T	D
W	C	X	E	F	V	T	F	Z	H	T	N
D	M	K	I	L	T	B	A	S	F	E	U
B	I	K	I	N	I	O	T	H	D	P	A

54. Nature

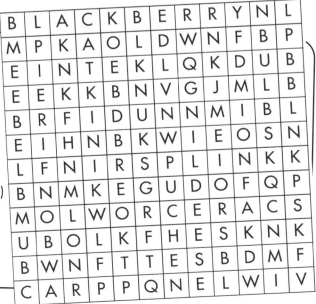

1. A large bee (9)
2. A freshwater fish (4)
3. A badger's burrow (4)
4. The edible dark berry of a bramble (10)
5. A very young plant growing from a seed (8)
6. A pretend figure to scare birds away from crops (9)
7. Hanging flower of willow, hazel, etc. (6)
8. Light this for Guy Fawkes night (7)
9. Plant these to grow flowers and plants (5)
10. Black, bushy-tailed, smelly animal from America (5)

B	L	A	C	K	B	E	R	R	Y	N	L
M	P	K	A	O	L	D	W	N	F	B	P
E	I	N	T	E	K	L	Q	K	D	U	B
E	E	K	K	B	N	V	G	J	M	L	B
B	R	F	I	D	U	N	N	M	I	B	L
E	I	H	N	B	K	W	I	E	O	S	N
L	F	N	I	R	S	P	L	I	N	K	K
B	N	M	K	E	G	U	D	O	F	Q	P
M	O	L	W	O	R	C	E	R	A	C	S
U	B	O	L	K	F	H	E	S	K	N	K
B	W	N	F	T	T	E	S	B	D	M	F
C	A	R	P	P	Q	N	E	L	W	I	V

55. Desserts

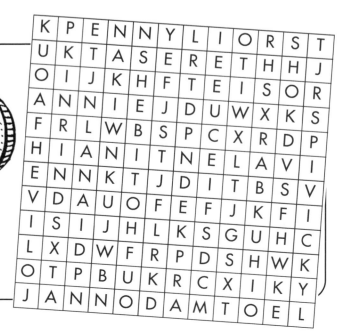

1. Large rich cream cake (6)
2. An icy cold sweet (3, 5)
3. Mixed up pieces of fruit (5, 5)
4. Pudding of fruit with crumbly topping (7)
5. A baked dish of fruit (3)
6. Meringue cake containing cream and fruit (7)
7. Sponge cake, ice cream and meringue, Baked _____ (6)
8. Pastry with a cream filling and chocolate on top (6)
9. Pie or pastry flan with a sweet filling (4)
10. Baked sweet bread-like food (4)

D	O	K	V	U	E	H	S	W	G	K	C
B	A	C	Q	P	A	V	L	O	V	A	Y
M	N	L	Y	T	B	R	D	G	N	H	S
A	R	K	A	D	F	E	F	R	U	B	O
E	S	H	W	S	V	P	I	E	I	R	T
R	O	E	V	K	T	R	W	T	Y	A	V
C	Q	G	B	Y	N	I	C	H	O	K	E
E	C	L	A	I	R	G	U	B	R	S	K
C	K	C	O	B	B	L	E	R	C	A	T
I	S	O	C	R	U	S	E	V	F	L	R
V	H	W	U	A	E	T	A	G	K	A	A
G	B	E	K	A	C	O	K	B	U	S	T

F	E	N	D	I	G	N	I	D	A	E	R
N	X	B	G	O	C	Z	G	F	N	R	I
R	G	S	L	N	J	I	H	N	E	O	E
G	G	I	M	N	I	F	S	G	B	F	X
N	H	N	E	B	D	T	E	U	I	Z	E
I	R	N	K	V	G	L	T	R	M	F	R
C	G	E	D	O	K	F	R	I	X	F	C
N	B	T	I	X	N	Z	O	W	N	E	I
A	F	O	O	T	B	A	L	L	D	K	S
D	E	L	R	E	T	U	P	M	O	C	E
F	I	G	N	I	N	E	D	R	A	G	B
N	S	E	W	I	N	G	W	E	G	D	F

56. Hobbies

1. Kicking a ball around (8)
2. People like to play games on this (8)
3. Ballet, modern, tap and more (7)
4. Planting and digging in the garden (9)
5. A love for books and magazines (7)
6. Walking is a form of _____ (8)
7. Hitting a ball over a net with rackets (6)
8. Passing a threaded needle through fabric (6)
9. Listening to this relaxes people (5)
10. Forming yarn into fabric of interlocking loops (8)

57. Girls' Names

1. Short for Victoria (5)
2. The cowgirl from *Toy Story* (6)
3. The first woman in space (9)
4. Short for Rosemary (5)
5. Popeye's girlfriend _____ Oyl (5)
6. A famous orphan with orange curls (5)
7. Princess who was married to Prince Charles (5)
8. An American pop star with one name (7)
9. A nun who helped poor people in Calcutta (6)
10. The same name as a coin (5)

NEW PENNY

K	P	E	N	N	Y	L	I	O	R	S	T
U	K	T	A	S	E	R	E	T	H	H	J
O	I	J	K	H	F	T	E	I	S	O	R
A	N	N	I	E	J	D	U	W	X	K	S
F	R	L	W	B	S	P	C	X	R	D	P
H	I	A	N	I	T	N	E	L	A	V	I
E	N	N	K	T	J	D	I	T	B	S	V
V	D	A	U	O	F	E	F	J	K	F	I
I	S	I	J	H	L	K	S	G	U	H	C
L	X	D	W	F	R	P	D	S	H	W	K
O	T	P	B	U	K	R	C	X	I	K	Y
J	A	N	N	O	D	A	M	T	O	E	L

58. The Letter 'M'

1. You need this when you're ill (8)
2. A two-wheeled motor vehicle (9)
3. Pour this on your cereal (4)
4. Vegetarians don't eat this (4)
5. Use this to find your way (3)
6. Cut the lawn (3)
7. The capital of Russia (6)
8. A planet in the solar system (4)
9. Everest is the world's highest (8)
10. Infectious disease causing red spots on the body (7)

E	S	T	M	N	I	A	T	N	U	O	M
C	W	R	I	X	F	T	W	S	N	C	K
L	M	E	D	I	C	I	N	E	E	M	I
N	B	U	S	Z	M	O	S	C	O	W	U
M	C	S	K	E	S	V	B	T	R	F	M
V	W	T	X	I	E	H	G	P	A	M	N
U	O	F	T	K	L	M	E	C	L	D	T
K	M	R	A	W	S	N	M	S	X	K	S
I	Z	B	E	C	A	U	T	K	L	B	R
M	M	E	M	J	E	I	R	I	E	R	A
R	U	X	S	T	M	F	M	X	F	Z	M
L	E	K	I	B	R	O	T	O	M	C	E

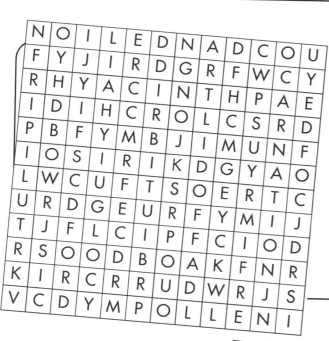

N	O	I	L	E	D	N	A	D	C	O	U
F	Y	J	J	I	R	D	G	R	F	W	C	Y
R	H	Y	A	C	I	N	T	H	P	A	E
I	D	I	H	C	R	O	L	C	S	R	D
P	B	F	Y	M	B	J	I	M	U	N	F
I	O	S	I	R	I	K	D	G	Y	A	O
L	W	C	U	F	T	S	O	E	R	T	C
U	R	D	G	E	U	R	F	Y	M	I	J
T	J	F	L	C	I	P	F	C	I	O	D
R	S	O	O	D	B	O	A	K	F	N	R
K	I	R	C	R	R	U	D	W	R	J	S
V	C	D	Y	M	P	O	L	L	E	N	I

59. Flowers

1. Deep purple flower (6)
2. A cup-shaped flower (5)
3. A yellow flower that blooms early in spring (8)
4. Colourful flower that lives in warm areas (6)
5. Weed with yellow flowers that turn into seeds (9)
6. Flower that can be white, pink or red (9)
7. Beautiful blue flower with long thin flat leaves (4)
8. Fertilising powder from flowers (6)
9. A spring-flowering plant growing from a corm (6)
10. Plant with fragrant bell-shaped flowers (8)

60. Birds

1. Bird of the crow family (3)
2. A nighttime bird of prey (3)
3. A sea bird (7)
4. A very small bird (4)
5. Small songbird that searches for insects (8)
6. One of the fastest flying birds (6)
7. Lays the biggest birds' eggs (7)
8. Small migratory bird with a forked tail (7)
9. A bird of prey that eats the flesh of dead animals (7)
10. Large water bird with a long slender neck (4)

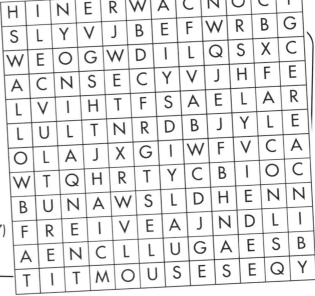

H	I	N	E	R	W	A	C	N	O	C	Y
S	L	Y	V	J	B	E	F	W	R	B	G
W	E	O	G	W	D	I	L	Q	S	X	C
A	C	N	S	E	C	Y	V	J	H	F	E
L	V	I	H	T	F	S	A	E	L	A	R
L	U	L	T	N	R	D	B	J	Y	L	E
O	L	A	J	X	G	I	W	F	V	C	A
W	T	Q	H	R	T	Y	C	B	I	O	C
B	U	N	A	W	S	L	D	H	E	N	N
F	R	E	I	V	E	A	J	N	D	L	I
A	E	N	C	L	L	U	G	A	E	S	B
T	I	T	M	O	U	S	E	S	E	Q	Y

61. Fairies

1. Fairies sit on these (10)
2. Fairies use these to fly (5)
3. Fairies use their wands to create this (5)
4. They sing these (5)
5. Area of trees where fairies are found (5)
6. They make up these to make magic (6)
7. Fairies can rarely be seen by who? (6)
8. Something fairies do in the air that people can't (3)
9. It's supposedly unlucky to step in this (4)
10. The leader of the fairies (5)

M	R	I	N	G	B	V	D	O	K	F	I
H	A	Z	I	H	U	M	A	N	S	N	L
P	S	L	O	O	T	S	D	A	O	T	G
F	V	W	K	U	H	M	J	W	A	H	B
X	S	N	D	H	F	K	X	J	G	V	S
N	G	B	J	L	P	A	F	C	G	H	D
E	N	O	Y	I	Y	F	I	W	N	M	O
E	I	L	G	M	J	G	H	K	D	J	O
U	W	A	U	T	A	V	K	B	O	P	W
Q	P	H	N	M	J	N	A	Z	I	F	L
I	X	D	K	K	G	S	G	N	O	S	N
G	W	R	H	Y	M	E	S	B	M	U	O

62. Space

P	R	O	B	E	N	J	M	H	B	I	A
F	A	C	D	K	P	A	I	N	A	H	T
W	B	S	H	R	U	Q	S	D	S	E	M
N	V	Y	E	I	J	I	S	W	T	T	O
Y	U	R	A	N	U	S	I	F	R	I	S
X	D	C	F	R	J	K	O	K	O	R	P
A	P	J	I	E	F	R	N	S	N	O	H
L	M	E	R	C	U	R	Y	P	O	E	E
A	F	R	A	H	W	N	C	J	M	T	R
G	N	O	R	T	S	M	R	A	Y	E	E
N	B	I	N	O	I	R	O	D	F	M	N
A	J	K	S	A	T	U	R	N	G	I	L

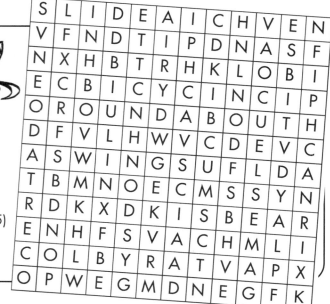

1. A system of stars (6)
2. The ringed planet (6)
3. Planet nearest the Sun (7)
4. The name of a voyage to space (7)
5. Unmanned craft that explores space (5)
6. The study of stars and planets (9)
7. A planet in the solar system (6)
8. A meteor fallen to Earth (9)
9. A constellation of stars beginning with 'O' (5)
10. Mixture of gases surrounding a planet (10)

63. The Park

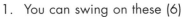

1. You can swing on these (6)
2. What you do in the playground (4)
3. Make sandcastles in this (7)
4. Run about on this soft surface (5)
5. Go round and round on this (10)
6. Water where ducks swim (4)
7. Go down this fast! (5)
8. Go to the water to feed these birds with bread (5)
9. A meal you can have outside (6)
10. Things such as football and It (5)

S	L	I	D	E	A	I	C	H	V	E	N
V	F	N	D	T	I	P	D	N	A	S	F
N	X	H	B	T	R	H	K	L	O	B	I
E	C	B	I	C	Y	C	I	N	C	I	P
O	R	O	U	N	D	A	B	O	U	T	H
D	F	V	L	H	W	V	C	D	E	V	C
A	S	W	I	N	G	S	U	F	L	D	A
T	B	M	N	O	E	C	M	S	S	Y	N
R	D	K	X	D	K	I	S	B	E	A	R
E	N	H	F	S	V	A	C	H	M	L	I
C	O	L	B	Y	R	A	T	V	A	P	X
O	P	W	E	G	M	D	N	E	G	F	K

64. Landmarks

1. The famous tower in Paris (6)
2. One of the world's wonders found in Egypt (8)
3. Where in Australia is the Opera House? (6)
4. The famous bell in London, Big ___ (3)
5. The Leaning Tower is found in this Italian city (4)
6. The name of a famous British palace (10)
7. The American Statue Of _____ is in New York (7)
8. The Golden Gate in San Francisco is one (6)
9. The Arc de Triomphe is in this French city (5)
10. The crown jewels are kept in a what in London? (5)

G	A	H	T	O	W	E	R	K	G	S	D
B	U	C	K	I	N	G	H	A	M	T	L
E	U	D	F	Y	E	N	D	Y	S	B	E
H	S	T	M	S	A	N	G	W	U	X	F
B	D	K	T	V	P	X	S	E	A	K	F
R	I	C	E	R	V	I	M	H	A	V	I
I	M	U	B	F	I	D	S	F	T	D	E
D	A	N	N	G	A	P	H	A	K	U	G
G	R	W	E	S	U	G	A	J	A	N	H
E	Y	G	B	X	H	T	K	R	B	E	S
K	P	A	D	F	F	V	E	M	I	M	L
E	T	L	I	B	E	R	T	Y	C	S	W

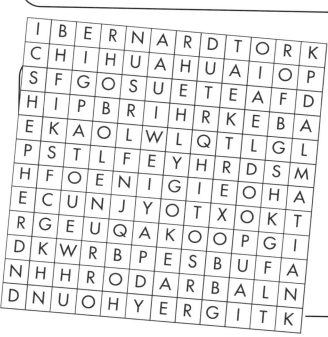

65. Dogs

1. A French dog (6)
2. A dog's home (6)
3. Large white dog with dark spots (9)
4. Retriever with a black or golden coat (8)
5. Rescue dog, St _____ (7)
6. Dog used to round up sheep (6)
7. Dog that has the same name as a type of fighter (5)
8. Very small Mexican dog (9)
9. Dog used by the police (8)
10. Slender dog that is sometimes raced (9)

I	B	E	R	N	A	R	D	T	O	R	K
C	H	I	H	U	A	H	U	A	I	O	P
S	F	G	O	S	U	E	T	E	A	F	D
H	I	P	B	R	I	H	R	K	E	B	A
E	K	A	O	L	W	L	Q	T	L	G	L
P	S	T	L	F	E	Y	H	R	D	S	M
H	F	O	E	N	I	G	I	E	O	H	A
E	C	U	N	J	Y	O	T	X	O	K	T
R	G	E	U	Q	A	K	O	O	P	G	I
D	K	W	R	B	P	E	S	B	U	F	A
N	H	H	R	O	D	A	R	B	A	L	N
D	N	U	O	H	Y	E	R	G	I	T	K

66. Spies

1. A loud bang (9)
2. A metal weapon spies use (3)
3. Someone who is not a friend (5)
4. This fast vehicle is used to escape baddies (3)
5. Small mechanical device or tool (6)
6. Wear this so people won't know who you are (8)
7. Use these to see things far away (10)
8. A fictional spy with the number 007 (4)
9. Use this to photograph secret documents (6)
10. Someone who provides important information (8)

E	U	F	O	E	G	R	S	R	A	C	T
N	B	D	K	B	W	N	X	V	K	H	J
E	I	Z	S	A	R	E	M	A	C	S	R
M	N	S	H	T	J	T	R	B	D	B	E
Y	O	F	H	L	K	D	G	N	F	Z	M
R	C	D	B	K	E	E	W	S	U	W	R
G	U	B	O	J	U	R	R	T	X	G	O
O	L	F	N	N	T	G	S	D	C	O	F
S	A	E	D	I	S	G	U	I	S	E	N
D	R	X	V	W	O	F	Z	K	B	U	I
K	S	G	A	D	G	E	T	T	E	G	N
J	H	N	O	I	S	O	L	P	X	E	D

67. Hairstyles

1. An elegant hair twist (5)
2. Two ponytails on either side of your head (7)
3. Use this to hold your hair back (4)
4. Hair tied back with a band is called a _____ (8)
5. A plait that starts right at the top of your head (6, 5)
6. Use this device to make your hair wavy (7)
7. These make your hair curly (7)
8. These make your hair look longer (10)
9. These are a straightening tool (5)
10. This is a haircut and a boy's name (3)

T	K	G	F	J	L	H	D	F	X	E	R
I	E	R	N	K	T	A	E	L	P	V	C
A	X	F	C	R	I	M	P	E	R	I	F
L	T	L	E	D	G	N	L	B	O	B	G
P	E	I	H	K	F	Z	W	T	R	U	K
H	N	A	L	S	E	H	C	N	U	B	V
C	S	T	J	D	I	D	G	X	E	X	Z
N	I	Y	M	S	S	R	E	L	R	U	C
E	O	N	H	N	V	K	E	H	P	J	I
R	N	O	X	O	L	R	F	I	L	F	D
F	S	P	F	R	D	N	L	W	G	D	S
E	N	H	L	I	C	C	V	Z	M	R	J

68. Sports Equipment

M	C	B	A	F	H	N	D	W	B	L	G
A	Z	U	R	T	E	K	C	A	R	S	X
T	S	B	Q	C	Y	I	P	S	T	V	J
R	V	T	P	A	D	S	V	O	H	A	T
A	G	F	N	C	F	R	O	I	Y	C	R
H	B	D	S	L	V	B	D	V	G	F	A
S	R	A	W	X	U	S	B	T	G	P	I
D	I	Y	T	C	V	A	A	R	A	J	N
N	J	P	Q	B	L	C	I	S	B	R	E
A	J	G	T	L	R	H	F	Z	D	L	R
B	G	S	E	L	D	R	U	H	U	Q	S
X	V	A	C	N	N	G	W	R	V	B	Y

1. Wear these on your head to hold your hair back (5)
2. A round object you throw, catch, kick or hit (4)
3. Wear these on your feet when running around (8)
4. Jump over these in this athletics event (7)
5. Use this to hit a shuttlecock with (6)
6. Do judo or gymnastics on this (3)
7. Put sports equipment in this (3)
8. Wear these to kick a football (5)
9. These protect body parts (4)
10. Use this to hit a ball (3)

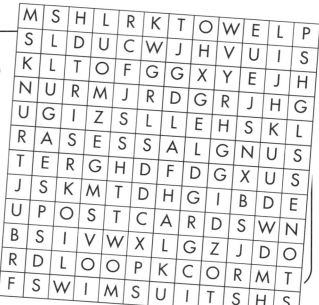

69. The Beach

1. Use this to dry yourself after a swim (5)
2. A stick of a sweet item (4)
3. Pictures of the beach you can send to people (9)
4. Men wear these to swim in (6)
5. You can see small sea creatures in this puddle (8)
6. Wooden construction that goes out over the sea (4)
7. Some beaches have these instead of sand (6)
8. Find pretty variations of these on the beach (6)
9. Flocks of these birds circle the beach (8)
10. Wear these to protect your eyes from the sun (10)

M	S	H	L	R	K	T	O	W	E	L	P
S	L	D	U	C	W	J	H	V	U	I	S
K	L	T	O	F	G	G	X	Y	E	J	H
N	U	R	M	J	R	D	G	R	J	H	G
U	G	I	Z	S	L	L	E	H	S	K	L
R	A	S	E	S	S	A	L	G	N	U	S
T	E	R	G	H	D	F	D	G	X	U	S
J	S	K	M	T	D	H	G	I	B	D	E
U	P	O	S	T	C	A	R	D	S	W	N
B	S	I	V	W	X	L	G	Z	J	D	O
R	D	L	O	O	P	K	C	O	R	M	T
F	S	W	I	M	S	U	I	T	S	H	S

70. Party Time

1. To go with food (6)
2. Give this with a present (4)
3. Decorations for the party (9)
4. Every party needs these! (6)
5. Party girl's pretty clothing (5)
6. Some people hire this bouncy treat (6)
7. Greetings that you hang up at a party (6)
8. A party for two people planning to get married (10)
9. A party to celebrate the date of an event (11)
10. People take these off when they arrive (5)

R	P	C	A	S	T	L	E	D	R	S	X
A	C	O	O	R	C	H	N	M	A	K	N
N	I	S	A	E	C	O	G	M	P	N	L
N	E	T	E	M	R	T	A	D	G	I	H
I	L	P	R	A	G	G	G	R	E	R	D
V	P	F	B	E	O	F	E	T	P	D	I
E	O	J	B	R	N	E	M	E	O	D	H
R	E	T	W	T	I	G	E	L	E	R	I
S	P	T	E	S	D	E	N	V	I	A	D
A	C	T	R	E	F	I	T	Z	Z	C	E
R	E	D	R	E	S	S	S	T	A	O	C
Y	D	D	W	O	R	E	N	N	A	B	R

71. Pets

1. Talking bird (6)
2. Rodent kept for a pet (6, 3)
3. Animal called a kitten when young (3)
4. Slow-moving reptile with a hard shell (8)
5. Rearrange the letters 'bilger' for this pet (6)
6. Four-legged domesticated animal (3)
7. A creature that lives in a water tank or bowl (4)
8. Burrowing animal with long ears (6)
9. Rodent pet that sometimes go round on a wheel (7)
10. This pet can be dangerous to keep (5)

K	J	P	A	R	R	O	T	U	Y	T	R
G	E	W	E	S	I	O	T	R	O	T	B
U	I	B	R	O	G	D	S	C	W	K	J
I	E	L	K	I	Y	F	I	S	H	H	Y
N	E	B	U	F	D	X	E	O	C	I	V
E	K	J	Y	J	L	I	B	R	E	G	R
A	A	O	T	K	C	D	S	L	F	S	E
P	N	R	G	B	S	E	C	V	D	K	T
I	S	D	G	W	C	A	U	H	J	G	S
G	U	E	O	M	T	J	I	Y	R	T	M
Y	J	D	D	N	F	X	J	O	B	E	A
S	I	R	A	B	B	I	T	D	C	W	H

72. The Letter 'L'

1. Fabric (4)
2. Limbs you use to walk with (4)
3. Short for lollipop (5)
4. Shellfish with large claws (7)
5. Oval yellow fruit (5)
6. A tree with heart-shaped leaves and also a fruit (4)
7. Plant related to the onion, used to make soup (4)
8. Rope with a noose for catching cattle (5)
9. Substance turned red by acids and blue by alkalis (6)
10. Takes people to different floors in a big building (4)

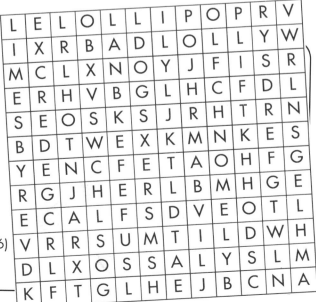

L	E	L	O	L	L	I	P	O	P	R	V
I	X	R	B	A	D	L	O	L	L	Y	W
M	C	L	X	N	O	Y	J	F	I	S	R
E	R	H	V	B	G	L	H	C	F	D	L
S	E	O	S	K	S	J	R	H	T	R	N
B	D	T	W	E	X	K	M	N	K	E	S
Y	E	N	C	F	E	T	A	O	H	F	G
R	G	J	H	E	R	L	B	M	H	G	E
E	C	A	L	F	S	D	V	E	O	T	L
V	R	R	S	U	M	T	I	L	D	W	H
D	L	X	O	S	S	A	L	Y	S	L	M
K	F	T	G	L	H	E	J	B	C	N	A

73. Detectives

1. An unsolved case (7)
2. A path of clues that leads to the answer (5)
3. A famous detective, S_____ Holmes (8)
4. A detective's piece of work is called a c___ (4)
5. A dog that may be used to sniff out clues (5)
6. Discover the answer to the case, _____ the crime (5)
7. Someone's excuse for not being at the crime scene (5)
8. Detectives use this red liquid to identify people (5)
9. Use this glass to see things more clearly (10)
10. Something which helps to solve the mystery (4)

N	H	K	V	N	H	O	U	N	D	B	K
A	B	L	S	T	U	D	A	G	I	O	X
X	G	N	I	Y	F	I	N	G	A	M	E
N	O	S	V	D	O	O	L	B	W	J	T
T	D	H	S	B	F	L	K	V	E	T	H
S	K	E	G	H	Y	A	T	S	R	Y	B
O	U	R	I	C	N	Y	B	A	R	A	N
L	A	L	V	L	R	T	I	E	F	V	L
V	G	O	E	U	T	L	T	K	D	J	S
E	F	C	J	E	V	S	U	E	S	A	C
W	N	K	L	S	Y	U	H	O	G	V	I
A	X	B	D	M	A	L	I	B	I	T	F

74. Trees

1. A group of fruit trees (7)
2. A tiny piece of branch (4)
3. The main stem of a tree (5)
4. The part of the tree that goes in the ground (4)
5. Rearrange the letters of 'raced' to get this tree (5)
6. Evergreen, cone-bearing tree (3)
7. Forest tree which bears acorns (3)
8. A large area of trees (6)
9. Has green leaves throughout the year (9)
10. Tree that sounds like a sandy place (5)

M	N	J	R	J	E	K	F	T	W	I	G
B	I	R	C	H	D	S	A	N	R	G	E
Q	S	B	R	I	F	Y	N	O	H	M	V
X	U	F	G	C	T	A	M	H	J	J	E
J	O	J	N	K	B	T	F	A	N	T	R
O	U	R	D	D	P	E	C	W	B	R	G
R	R	H	M	L	F	T	E	T	H	U	R
C	A	A	E	Y	S	H	X	R	C	N	E
H	D	M	V	E	G	P	J	O	D	K	E
A	E	J	R	J	I	U	N	O	A	M	N
R	C	O	N	N	D	J	T	T	Y	U	C
D	F	Q	D	L	B	E	E	C	H	F	X

75. Boys' Names

1. Short for Richard (4)
2. Short for Michael (4)
3. Short for Steven (5)
4. Nickname for William (5)
5. Harry is the shortened version of this name (6)
6. Rearrange the letters of 'line' to get this name (4)
7. Name that rhymes with 'frames' (5)
8. ____ Skywalker, from *Star Wars* (4)
9. The first name of football star Beckham (5)
10. The same name as a bird (5)

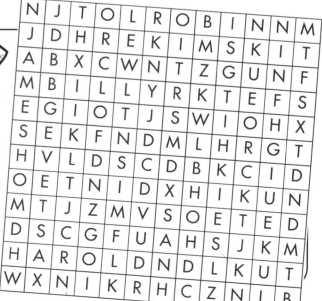

N	J	T	O	L	R	O	B	I	N	N	M
J	D	H	R	E	K	I	M	S	K	I	T
A	B	X	C	W	N	T	Z	G	U	N	F
M	B	I	L	L	Y	R	K	T	E	F	S
E	G	I	O	T	J	S	W	I	O	H	X
S	E	K	F	N	D	M	L	H	R	G	T
H	V	L	D	S	C	D	B	K	C	I	D
O	E	T	N	I	D	X	H	I	K	U	N
M	T	J	Z	M	V	S	O	E	T	E	D
D	S	C	G	F	U	A	H	S	J	K	M
H	A	R	O	L	D	N	D	L	K	U	T
W	X	N	I	K	R	H	C	Z	N	L	B

76. Musical Instruments

1. Stringed musical instrument you strum (6)
2. Percussion instrument you hit with sticks (4)
3. Has four strings and is played with a bow (6)
4. Woodwind instrument with finger-holes and keys (8)
5. Metal wind instrument with a flared tube (7)
6. Woodwind instrument of treble pitch (4)
7. Brass instrument like a small trumpet (5)
8. Triangular steel rod played in percussion (8)
9. Can be baby or grand (5)
10. Instrument with a trumpet-shaped end, French ____ (4)

J	K	R	E	T	R	I	A	N	G	L	E
S	T	R	U	M	P	E	T	I	U	M	N
W	H	B	V	A	X	J	T	E	G	H	I
Q	M	K	E	P	B	D	E	Q	U	S	L
R	V	O	N	E	U	R	N	H	I	F	F
K	B	I	S	H	G	R	I	K	T	V	R
O	L	U	M	C	L	B	R	P	A	B	X
E	A	J	U	K	E	V	A	G	R	W	I
W	H	G	R	V	K	S	L	K	M	J	A
I	B	R	D	H	Q	H	C	E	I	N	Q
P	I	A	N	O	R	X	U	N	R	O	H
N	V	N	I	L	O	I	V	A	L	K	P

O	P	A	R	R	O	T	I	B	S	K	L
L	C	B	E	R	U	S	A	E	R	T	V
G	E	L	B	R	E	X	W	H	Q	J	O
S	K	R	I	H	O	O	K	A	I	N	F
G	D	H	K	V	O	U	D	G	T	E	B
F	L	H	C	E	F	L	H	G	A	L	F
B	O	S	Q	T	J	K	B	D	T	I	D
R	G	W	I	E	A	B	I	V	S	U	L
O	B	V	T	L	R	P	H	C	X	O	L
G	X	I	L	K	V	F	E	R	L	E	U
E	P	I	H	S	G	E	V	Y	Q	W	K
S	U	H	C	K	D	U	R	S	E	J	S

77. Pirates

1. They sail on this (4)
2. Famous pirate called Long John _____ (6)
3. The thing that all pirates search for (8)
4. A pirate's ____ is called the Jolly Roger (4)
5. The _____ and crossbones is a pirate's symbol (5)
6. Pirates look for silver and what? (4)
7. Captain ____, the pirate from Peter Pan (4)
8. A pirate might have this bird on his shoulder (6)
9. They sometimes have this wooden limb (3)
10. A pirate might wear one of these over their eye (8)

78. Sports

1. A swimming stroke (5)
2. Also known as ping pong (5, 5)
3. Trying to punch a ball over a net (10)
4. Kicking a ball towards a goal (8)
5. Somersaults, flips and splits (10)
6. Propelling a boat using oars (6)
7. Hitting a ball with clubs into holes (4)
8. Bouncing a ball and aiming for a hoop (10)
9. Sports, especially running, jumping and throwing (9)
10. Game for two teams with balls, bats and wickets (7)

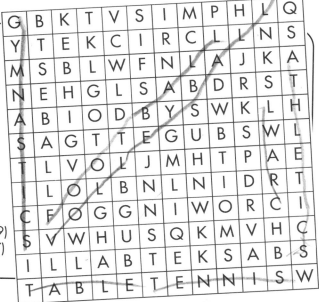

G	B	K	T	V	S	I	M	P	H	L	Q
Y	T	E	K	C	I	R	C	L	L	N	S
M	S	B	L	W	F	N	L	A	J	K	A
N	E	H	G	L	S	A	B	D	R	S	T
A	B	I	O	D	B	Y	S	W	K	L	H
S	A	G	T	T	E	G	U	B	S	W	L
T	L	V	O	L	J	M	H	T	P	A	E
I	L	O	L	B	N	L	N	I	D	R	T
C	F	O	G	G	N	I	W	O	R	C	I
S	W	H	U	S	Q	K	M	V	H	C	
I	L	L	A	B	T	E	K	S	A	B	S
T	A	B	L	E	T	E	N	N	I	S	W

79. The Sky

1. Crescent, full, half or quarter (4)
2. They can look like white cotton wool (6)
3. These people-carrying vehicles travel the sky (6)
4. Shining objects in the sky (5)
5. Bright star which the earth travels around (3)
6. Feathered animals that fly in the sky (5)
7. These hot air items float in the sky (8)
8. You look through this to see stars (9)
9. Aircraft with horizontal revolving blades (10)
10. Pretty chemical explosions that explode in the sky (9)

H	E	L	I	C	O	P	T	E	R	D	V
I	O	S	N	O	O	L	L	A	B	O	J
J	B	N	M	S	U	N	E	W	N	Z	Q
H	K	R	T	Y	X	C	N	V	B	V	R
E	V	A	D	B	J	U	I	H	C	B	Z
O	R	I	T	B	R	U	G	I	L	C	I
S	Y	N	B	I	R	D	S	H	O	T	E
K	J	M	C	U	Y	O	D	K	U	N	M
B	Q	Z	W	H	E	X	Y	R	D	B	O
D	S	E	N	A	L	P	I	V	S	M	O
F	I	R	E	W	O	R	K	S	S	N	J
N	E	P	O	C	S	E	L	E	T	O	Q

80. Shops

1. What you do with your car before you shop (4)
2. Push your shopping in this (7)
3. Where you pay (4)
4. Staff have to wear this (7)
5. How much you have to pay (5)
6. These guards protect the shop (8)
7. Announcements are called out over the _____ (6)
8. Gangway between rows of products (5)
9. Goods in the window are on d_____ (7)
10. Talk to this person if you have a complaint (7)

K	J	M	A	N	A	G	E	R	H	L	N
S	A	P	Y	E	L	L	O	R	T	V	B
E	N	L	D	F	H	V	T	F	Z	G	F
C	F	H	D	I	R	K	D	L	A	D	K
U	E	G	B	J	S	X	B	N	L	A	T
R	L	P	G	V	X	P	J	N	S	I	X
I	S	F	L	A	S	X	L	M	F	Z	T
T	I	K	T	R	V	D	B	A	G	J	R
Y	A	P	R	I	C	E	S	B	Y	H	P
T	O	L	G	N	I	K	R	A	P	V	K
A	G	F	A	M	R	O	F	I	N	U	N
V	T	A	N	N	O	Y	H	L	P	T	B

81. In the Garden

1. Matter used as fertiliser (7)
2. Small sharp points on a plant (6)
3. Wild plant with green blades (5)
4. Poles holding a net for football (9)
5. Small garden tool for digging (6)
6. These protect your hands while gardening (6)
7. Woody plant smaller than a tree (5)
8. Shrub with fragrant purple flowers (8)
9. A watery place for feathered friends (8)
10. Large cutting instrument shaped like scissors (6)

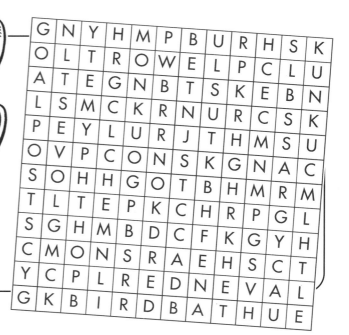

G	N	Y	H	M	P	B	U	R	H	S	K
O	L	T	R	O	W	E	L	P	C	L	U
A	T	E	G	N	B	T	S	K	E	B	N
L	S	M	C	K	R	N	U	R	C	S	K
P	E	Y	L	U	R	J	T	H	M	S	U
O	V	P	C	O	N	S	K	G	N	A	C
S	O	H	H	G	O	T	B	H	M	R	M
T	L	T	E	P	K	C	H	R	P	G	L
S	G	H	M	B	D	C	F	K	G	Y	H
C	M	O	N	S	R	A	E	H	S	C	T
Y	C	P	L	R	E	D	N	E	V	A	L
G	K	B	I	R	D	B	A	T	H	U	E

82. Food

1. Paste of meat (4)
2. Bird that's eaten as meat (7)
3. Finger-shaped yellow fruit (6)
4. Sauce made with milk and eggs or powder (7)
5. Warm liquid snack (4)
6. Plant with edible crisp juicy stems (6)
7. Light pastry for making cakes (5)
8. Small, soft, red, round fruit with a stone (6)
9. Baked dough topped with tomatoes and cheese (5)
10. Chinese dish of fried noodles and meat strips (4, 4)

M	G	C	H	E	R	R	Y	L	E	M	X
P	I	R	S	O	U	P	V	U	W	B	P
W	C	K	Z	E	Q	H	D	E	C	I	X
X	E	Y	M	J	N	F	S	W	Z	S	P
U	L	D	N	G	L	I	D	Z	S	G	C
O	E	R	I	B	K	D	A	R	M	Z	K
H	R	A	E	N	E	K	C	I	H	C	U
C	Y	T	M	V	G	X	T	G	N	D	R
E	D	S	W	I	P	A	T	E	M	L	I
G	M	U	O	U	K	E	G	Q	B	Y	P
P	L	C	H	B	A	N	A	N	A	V	T
Q	R	Z	C	D	W	F	M	E	R	X	D

83. The Farm

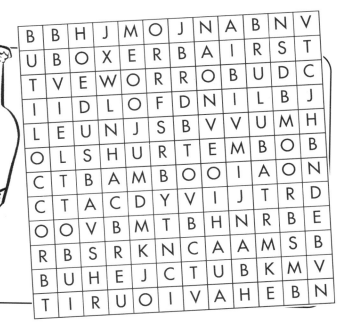

U	T	L	A	M	B	I	N	G	I	U	E
S	P	K	G	T	S	E	L	T	T	A	C
H	L	C	D	E	R	N	K	J	B	D	W
E	W	O	B	U	S	A	T	P	T	F	O
E	A	T	R	I	T	L	I	N	B	X	S
P	E	S	N	O	Q	G	G	L	U	V	T
D	T	E	S	J	T	F	D	K	E	C	S
O	S	V	L	S	D	C	T	E	I	R	E
G	G	I	K	G	S	W	A	V	J	N	X
G	G	L	U	P	J	T	U	R	Q	K	G
D	E	E	S	H	E	A	F	B	T	L	I
I	E	S	U	O	H	M	R	A	F	P	S

1. Farm animals (9)
2. Farmer's house (9)
3. Tied bundle of cornstalks (5)
4. Giving birth to a lamb (7)
5. Closed vehicle for transporting a horse (8)
6. Dog trained to guard and herd sheep (8)
7. Large animals with horns and cloven hooves (6)
8. Animal once used to pull farm machinery (2)
9. Strong motor vehicle for pulling heavy equipment (7)
10. Laid by chickens (4)

84. The Letter 'B'

1. Narrow-necked container (6)
2. Very young child or animal (4)
3. A green vegetable (8)
4. Way of behaving (9)
5. Person who boxes for sport (5)
6. Cloth used to cover someone's eyes (9)
7. Have temporary use of something (6)
8. Long-handled brush for sweeping floors (5)
9. Giant tropical grass that pandas eat (6)
10. Guitar-like instrument with a round body (5)

B	B	H	J	M	O	J	N	A	B	N	V
U	B	O	X	E	R	B	A	I	R	S	T
T	V	E	W	O	R	R	O	B	U	D	C
I	I	D	L	O	F	D	N	I	L	B	J
L	E	U	N	J	S	B	V	V	U	M	H
O	L	S	H	U	R	T	E	M	B	O	B
C	T	B	A	M	B	O	O	I	A	O	N
C	T	A	C	D	Y	V	I	J	T	R	D
O	O	V	B	M	T	B	H	N	R	B	E
R	B	S	R	K	N	C	A	A	M	S	B
B	U	H	E	J	C	T	U	B	K	M	V
T	I	R	U	O	I	V	A	H	E	B	N

85. Jobs

1. Person who drives a bus (3, 6)
2. Someone who runs a shop (4,7)
3. Person who dances for a living (6)
4. Person who bakes and sells bread (5)
5. Introduces music at a party or on the radio (4, 6)
6. Someone who fights for the army (7)
7. Someone who styles and cuts hair (11)
8. Person who produces works of art (6)
9. Person in charge of a business (7)
10. Someone who plays professional football (10)

A	H	R	E	V	I	R	D	S	U	B	U
Z	D	I	S	C	J	O	C	K	E	Y	R
R	E	S	S	E	R	D	R	I	A	H	E
R	E	L	L	A	B	T	O	O	F	T	G
A	G	R	E	I	D	L	O	S	H	R	A
R	B	U	S	T	C	F	K	N	B	E	N
E	K	H	A	W	Q	T	V	E	P	G	A
K	V	P	O	G	S	U	F	C	U	A	M
A	N	H	H	I	D	F	U	H	O	N	P
B	F	S	T	E	B	V	N	S	T	A	O
G	T	R	C	H	H	K	Z	A	G	M	H
K	A	Q	W	U	R	E	C	N	A	D	S

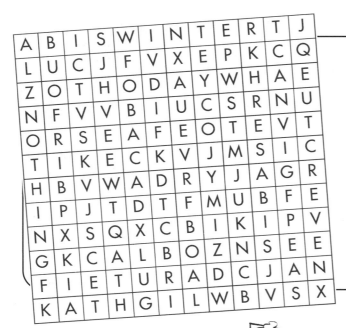

86. Opposites

1. Opposite of summer (6)
2. Opposite of give (4)
3. Opposite of hate (4)
4. Opposite of friend (5)
5. Opposite of white (5)
6. Opposite of lose (4)
7. Opposite of dark (5)
8. Opposite of night (3)
9. Opposite of everything (7)
10. Opposite of forever (5)

A	B	I	S	W	I	N	T	E	R	T	J
L	U	C	J	F	V	X	E	P	K	C	Q
Z	O	T	H	O	D	A	Y	W	H	A	E
N	F	V	V	B	I	U	C	S	R	N	U
O	R	S	E	A	F	E	O	T	E	V	T
T	I	K	E	C	K	V	J	M	S	I	C
H	B	V	W	A	D	R	Y	J	A	G	R
I	P	J	T	D	T	F	M	U	B	F	E
N	X	S	Q	X	C	B	I	K	I	P	V
G	K	C	A	L	B	O	Z	N	S	E	E
F	I	E	T	U	R	A	D	C	J	A	N
K	A	T	H	G	I	L	W	B	V	S	X

87. House

1. Room where you sleep (7)
2. Room where you wash (8)
3. A place to park your car (6)
4. Houses are built with these (6)
5. Upper covering of a building (4)
6. People who live next to, or close to you (10)
7. Streets should have this beacon (5)
8. Where food can be heated (4)
9. Room where cooking is done (7)
10. Covers the floors of a house (6)

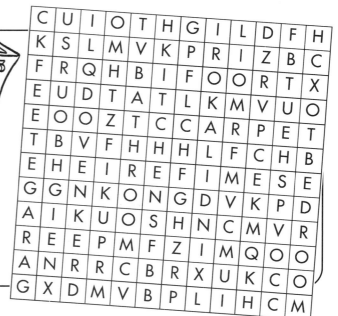

C	U	I	O	T	H	G	I	L	D	F	H
K	S	L	M	V	K	P	R	I	Z	B	C
F	R	Q	H	B	I	F	O	O	R	T	X
E	U	D	T	A	T	L	K	M	V	U	O
E	O	O	Z	T	C	C	A	R	P	E	T
T	B	V	F	H	H	H	L	F	C	H	B
E	H	E	I	R	E	F	I	M	E	S	E
G	G	N	K	O	N	G	D	V	K	P	D
A	I	K	U	O	S	H	N	C	M	V	R
R	E	E	P	M	F	Z	I	M	Q	O	O
A	N	R	R	C	B	R	X	U	K	C	O
G	X	D	M	V	B	P	L	I	H	C	M

88. Chores

1. Removing dust (7)
2. Cutting the grass (6)
3. Cleaning carpets (9)
4. Making clothes clean (7)
5. Getting the wrinkles out of clothes (7)
6. Looking after children (11)
7. Brushing up dirt (8)
8. Making everything clean (8)
9. Getting dishes really clean (8)
10. Making objects sparkle (9)

B	A	B	Y	S	I	T	T	I	N	G	G
A	T	S	G	N	I	T	S	U	D	B	G
G	G	C	M	G	N	I	P	E	E	W	S
N	N	O	C	P	B	J	G	R	M	G	T
I	I	U	R	T	A	H	N	B	W	N	B
H	N	R	W	S	D	M	I	C	A	I	D
S	O	I	G	C	V	P	W	R	T	N	J
I	R	N	H	V	X	F	O	T	G	A	C
L	I	G	D	A	B	N	M	H	S	E	M
O	D	W	A	S	H	I	N	G	H	L	P
P	G	T	C	M	B	J	R	T	D	C	W
A	R	P	G	N	I	M	U	U	C	A	V

89. Drinks

1. Flavoured milk (9)
2. Fizzy lemon drink (8)
3. Lemon and ____ (4)
4. Drink this hot or cold (4)
5. A special drink of mixed juices (8)
6. Alcoholic drink made from malt and hops (4)
7. Adults drink this on special occasions (9)
8. Add this to your drink to make it really cold (3)
9. Add this to a glass of water to add extra flavour (5)
10. Juice sometimes drunk at breakfast (10)

M	G	L	E	K	A	H	S	K	L	I	M
B	C	H	A	M	P	A	G	N	E	N	G
L	E	M	O	N	J	O	K	P	B	G	R
K	N	O	C	O	C	K	T	A	I	L	A
L	E	N	S	L	T	V	M	E	Z	H	P
E	T	I	E	I	H	T	O	O	M	S	E
M	L	C	R	B	W	H	G	T	N	H	F
O	B	U	P	O	U	J	N	M	V	B	R
N	J	E	G	V	S	B	K	Z	E	M	U
A	M	M	E	N	R	L	T	E	F	L	I
D	N	I	W	P	I	H	R	K	G	T	T
E	O	L	V	M	T	S	O	E	C	I	D

90. The Letter 'Z'

1. African animal with black and white stripes (5)
2. Place where you can see animals (3)
3. Character from *The Magic Roundabout* (7)
4. Line turning left and right alternately (6)
5. Spell the word of the letter it begins with (3)
6. Nought (4)
7. A monster (6)
8. Astrological signs (6)
9. Fastener (3)
10. Blue-white metal (4)

T	R	F	S	Z	E	I	B	M	O	Z	A
G	Z	H	A	U	V	K	I	B	R	L	N
Z	E	M	N	Z	B	F	D	E	Z	S	R
I	B	E	B	E	D	F	G	G	H	I	W
N	R	T	Z	R	A	L	S	O	O	Z	K
I	A	R	I	O	V	H	G	E	F	U	R
R	E	E	D	E	B	E	Z	M	A	F	E
R	L	U	K	Z	H	B	N	R	T	R	P
I	S	F	C	A	I	D	O	Z	F	Z	P
A	G	T	I	W	E	N	L	V	U	E	I
Z	V	C	N	I	Z	B	A	K	H	S	Z
V	H	Z	M	Z	I	G	Z	A	G	R	D

91. Shapes

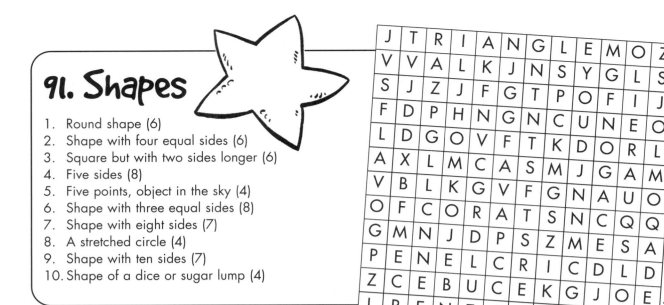

1. Round shape (6)
2. Shape with four equal sides (6)
3. Square but with two sides longer (6)
4. Five sides (8)
5. Five points, object in the sky (4)
6. Shape with three equal sides (8)
7. Shape with eight sides (7)
8. A stretched circle (4)
9. Shape with ten sides (7)
10. Shape of a dice or sugar lump (4)

J	T	R	I	A	N	G	L	E	M	O	Z
V	V	A	L	K	J	N	S	Y	G	L	S
S	J	Z	J	F	G	T	P	O	F	I	J
F	D	P	H	N	G	N	C	U	N	E	O
L	D	G	O	V	F	T	K	D	O	R	L
A	X	L	M	C	A	S	M	J	G	A	M
V	B	L	K	G	V	F	G	N	A	U	O
O	F	C	O	R	A	T	S	N	C	Q	Q
G	M	N	J	D	P	S	Z	M	E	S	A
P	E	N	E	L	C	R	I	C	D	L	D
Z	C	E	B	U	C	E	K	G	J	O	E
L	P	E	N	T	A	G	O	N	F	R	D

92. Weather

A	J	K	O	V	E	R	C	A	S	T	O
U	L	B	A	R	W	V	H	X	S	C	J
T	E	T	D	M	S	N	O	W	T	Q	J
U	V	C	S	T	H	U	N	D	E	R	D
M	A	O	J	P	H	D	G	K	D	B	G
N	W	J	S	B	R	E	E	Z	Y	F	X
R	T	K	V	C	A	J	H	T	H	R	H
V	A	L	S	T	O	R	M	K	D	J	E
A	E	W	H	Q	F	H	H	S	O	L	M
N	H	X	D	N	I	W	J	H	A	P	D
E	C	S	A	J	B	M	N	G	Q	C	B
R	D	I	M	U	H	T	O	K	V	W	R

1. Often comes with lightning (7)
2. Season when leaves fall (6)
3. Violent shower with strong winds (5)
4. An intense period of heat (8)
5. Current of air that blows (4)
6. Muggy, very hot (5)
7. Light wind (6)
8. Covered with cloud (8)
9. Very strong wind (4)
10. Frozen rain (4)

93. Girls' Names

1. _____ Puddleduck (6)
2. _____ the Minx (6)
3. Italian version of Marie (5)
4. She went up the hill with Jack (4)
5. Female version of Donald (5)
6. The same name as a blue flower (4)
7. Short version of Katherine (4)
8. First name of pop singer Aguilera (9)
9. Rearrange the letters in 'Norahs' to get this name (6)
10. Name that can be shortened to Jo (6)

H	C	H	R	I	S	T	I	N	A	W	V
U	C	V	K	O	P	I	R	S	T	H	M
G	E	L	Q	J	Z	C	H	N	B	Y	T
T	I	L	H	J	K	A	A	D	C	V	L
E	L	M	T	G	R	N	S	U	K	W	T
I	L	B	H	O	N	W	S	I	R	I	Z
N	I	K	N	A	G	F	P	Q	J	R	E
N	J	K	O	T	H	A	M	I	M	E	J
I	R	J	L	C	V	I	C	K	Y	U	O
M	D	O	N	N	A	H	T	A	C	T	B
T	O	U	J	P	Q	M	A	R	I	A	C
K	A	T	E	A	R	K	H	W	G	M	J

94. Weddings

1. Female attending a bride (10)
2. The bride's is usually white (5)
3. Place where people marry (6)
4. The holiday after the wedding (9)
5. Traditionally, the wedding couple cut this (4)
6. A talk given at the party afterwards (6)
7. The couple traditionally do this first (5)
8. Part of the church where the couple stand (5)
9. Net headdress the bride wears (4)
10. The man puts this on the bride's finger (4)

J	I	D	A	N	C	E	R	F	H	V	C
B	D	Q	K	E	D	R	E	S	S	I	B
C	I	F	S	J	W	J	M	U	E	B	T
R	A	V	N	O	O	M	Y	E	N	O	H
I	M	N	B	J	B	T	D	K	F	G	J
M	S	H	E	T	F	I	E	H	C	B	R
U	E	F	L	G	Y	Q	S	C	S	R	J
S	D	J	I	W	E	H	W	R	H	A	B
G	I	F	E	J	M	K	C	U	Z	T	W
N	R	B	V	S	U	M	A	H	B	L	V
I	B	H	C	J	B	I	N	C	F	A	R
R	K	Q	S	P	E	E	C	H	V	E	T

95. Monsters

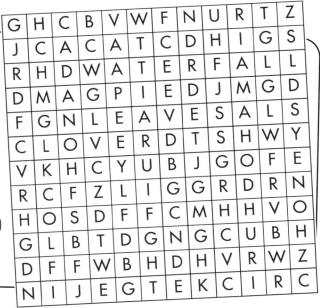

1. From another planet (5)
2. Mischievous ugly elf (6)
3. Famous vampire (7)
4. Woman with snakes for hair (6)
5. Monster wrapped in bandages (5)
6. Monster with a bolt through his neck (12)
7. Monster usually found under a bridge (5)
8. Huge famous monster from a film (8)
9. Monster allegedly living in a Scottish lake (4, 4)
10. Person who at times turns into a wolf (8)

L	O	C	H	N	E	S	S	G	H	T	Z
F	W	P	T	R	O	L	L	O	F	P	M
L	A	M	O	D	O	P	S	I	U	U	L
N	L	H	N	G	F	W	U	H	M	D	F
A	U	K	E	T	E	L	Y	M	E	G	T
S	C	P	I	I	S	T	Y	N	K	R	N
U	A	D	L	A	L	L	I	Z	D	O	G
D	R	M	A	G	O	D	H	Y	J	F	H
E	D	F	Z	F	L	O	W	E	R	E	W
M	P	L	H	W	T	N	G	D	P	L	T
N	I	E	T	S	N	E	K	N	A	R	F
T	G	S	G	O	B	L	I	N	Z	S	O

96. Nature

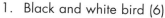

1. Black and white bird (6)
2. Group of birds or sheep (5)
3. Animal that catches mice (3)
4. Insect that annoys cattle (3)
5. A four-leafed one is lucky (6)
6. Stream that falls from a height (9)
7. Insect that's also the name of a game (7)
8. Creature with long soft body and no backbone (4)
9. Sweet substance made by bees (5)
10. They fall from trees in autumn (6)

G	H	C	B	V	W	F	N	U	R	T	Z
J	C	A	C	A	T	C	D	H	I	G	S
R	H	D	W	A	T	E	R	F	A	L	L
D	M	A	G	P	I	E	D	J	M	G	D
F	G	N	L	E	A	V	E	S	A	L	S
C	L	O	V	E	R	D	T	S	H	W	Y
V	K	H	C	Y	U	B	J	G	O	F	E
R	C	F	Z	L	I	G	G	R	D	R	N
H	O	S	D	F	F	C	M	H	H	V	O
G	L	B	T	D	G	N	G	C	U	B	H
D	F	F	W	B	H	D	H	V	R	W	Z
N	I	J	E	G	T	E	K	C	I	R	C

97. The Letter 'D'

1. Unable to hear (4)
2. Girl's toy (4)
3. Do this with a spade (3)
4. Australian wild dog (5)
5. Not clean (5)
6. Main meal of the day (6)
7. Inflatable rubber boat (6)
8. Putting your clothes on, getting _____ (7)
9. Cubes marked out on each side with 1–6 spots (4)
10. Animal with hooves and antlers (4)

H	D	I	C	E	L	O	D	V	B	O	Y
X	G	G	K	J	O	G	N	I	D	H	C
F	C	D	R	A	O	B	H	G	I	D	D
D	T	B	H	S	D	I	V	J	F	X
J	D	I	R	T	Y	U	D	O	H	G	R
O	L	V	Y	H	G	N	I	D	S	H	E
U	H	F	S	K	K	X	F	J	U	K	N
D	F	A	G	P	D	Y	R	E	E	D	N
V	B	E	C	H	T	Y	L	R	Y	O	I
K	X	D	Y	B	N	J	U	Y	D	J	D
S	L	D	O	L	L	D	R	A	N	T	G
Y	D	R	E	S	S	E	D	R	B	V	D

F	J	J	B	N	O	K	D	U	R	Z	C
J	E	E	Q	B	E	A	R	S	I	F	Q
A	L	V	Y	F	F	A	T	R	S	J	K
W	L	C	E	T	A	L	O	C	O	H	C
B	Y	O	T	U	E	E	D	F	Z	S	U
R	B	J	B	U	B	B	L	E	G	U	M
E	E	D	F	R	B	E	G	N	N	R	E
A	A	K	U	D	R	O	P	S	I	E	S
K	N	Z	A	Q	C	O	C	U	F	Y	B
E	S	Y	L	I	Q	U	O	R	I	C	E
R	S	S	R	E	S	E	G	D	U	F	Q
S	B	M	I	N	T	S	N	U	V	K	O

98. Sweets

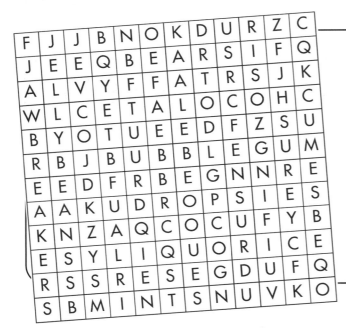

1. Pear _____ (5)
2. Menthol sweets (5)
3. Blow bubbles with this (9)
4. Comes in bars or squares (9)
5. Gummy _____ (5)
6. Soft sweet made from sugar and butter (5)
7. Bean-shaped sweet (5, 5)
8. Sweet black substance (9)
9. Really chewy sweets (3, 8)
10. Saltwater _____ (5)

99. Sports

1. Throwing a light spear (7)
2. Short for referee (3)
3. Referees blow this (7)
4. Top medal at the Olympics (4)
5. Seeing how far you can leap (4 ,4)
6. Fighting and grappling as a sport (9)
7. Where football is played (5)
8. Game like hockey but played on horses (4)
9. Aiming an arrow at a bullseye (7)
10. Run as fast as you can (6)

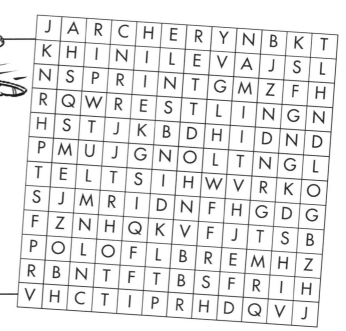

J	A	R	C	H	E	R	Y	N	B	K	T
K	H	I	N	I	L	E	V	A	J	S	L
N	S	P	R	I	N	T	G	M	Z	F	H
R	Q	W	R	E	S	T	L	I	N	G	N
H	S	T	J	K	B	D	H	I	D	N	D
P	M	U	J	G	N	O	L	T	N	G	L
T	E	L	T	S	I	H	W	V	R	K	O
S	J	M	R	I	D	N	F	H	G	D	G
F	Z	N	H	Q	K	V	F	J	T	S	B
P	O	L	O	F	L	B	R	E	M	H	Z
R	B	N	T	F	T	B	S	F	R	I	H
V	H	C	T	I	P	R	H	D	Q	V	J

100. The Letter 'F'

1. Person who manages a farm (6)
2. Musical instrument with mouth-hole at the side (5)
3. Where French people come from (6)
4. They're on the end of your hands (7)
5. The Union Jack is one (4)
6. Opposite of stale (5)
7. It gives out heat (4)
8. 11 − 6 = ? (4)
9. Opposite of back (5)
10. Cunning animal (3)

W	V	U	O	X	K	D	B	L	A	H	E
F	F	A	R	M	E	R	A	B	J	W	F
I	J	F	G	J	Y	O	P	H	A	T	L
R	B	T	A	E	E	F	L	A	G	F	U
E	J	L	K	R	U	R	F	F	H	U	T
E	F	I	V	E	P	H	F	F	E	B	E
K	O	B	D	J	H	W	F	F	O	F	J
H	A	R	M	O	N	F	O	X	V	R	G
V	P	G	E	T	A	F	Y	B	G	A	D
F	R	O	N	T	L	O	X	P	J	N	K
E	F	R	E	S	H	A	B	J	U	C	H
F	I	N	G	E	R	S	K	G	T	E	Y

E	D	G	F	G	O	O	D	B	Y	E	S
N	G	O	B	L	E	T	M	F	T	Z	L
J	M	S	W	P	H	O	G	E	I	I	J
F	L	R	I	G	Q	G	R	E	U	F	P
Y	D	O	E	L	Z	H	F	J	R	Q	G
E	M	J	T	A	N	G	F	N	F	S	G
R	H	G	F	Q	D	F	S	S	E	O	R
G	I	L	W	O	R	G	H	D	P	L	O
M	E	N	P	D	H	J	G	H	A	P	W
G	R	U	M	B	L	E	I	M	R	Z	J
L	S	F	O	Z	G	K	J	E	G	N	Q
G	M	E	P	L	U	G	G	W	F	D	H

101. The Letter 'G'

1. Large round yellow citrus fruit (10)
2. Opposite of boy (4)
3. Moan or complain (7)
4. Noise dogs make (5)
5. Drinking glass with a stem (6)
6. Colour between black and white (4)
7. To get bigger (4)
8. Swallow quickly (4)
9. Small biting fly (4)
10. Opposite of hello (7)

ANSWERS

1. Mother Nature

```
B Q R S S Q U I R R E L
T H E D G E H O G U T S
L M E J P Z R O L V Q R
Z I R J A C O R N L N Z
O L T K M D A B S T M A
E N P Q A R N A B H L O
A L A D Y B I R D L N O
R A L E A V E S P K M W
T S Y L W A T S M R U D
H R A D L Q P R V O T I
B O T N D J O K S M U Q
N E R R A W V T W R A P
```

2. Going Places

```
D L H O S P I T A L F N
T U O G E T T H A O I A
I R W U O Z O O T O R C
E N O T O F R E Y P E U
H T L P H E S O O G S L
L A E M P C O U J N T O
O E L Y I L D U I A N
O O V I F S A S T M T D
H L Y M H I N F I M I O
C O F F I C E N C I O N
S L C H U R C H O W N U
P A L A C E C T I S N E
```

3. Getting Around

```
N M C E B O A T M S T S
V O D A F D R O R H U E
H T O L Y I K C E P E T
P O Z G D S R S T N Q A
B R N A A E L S A F L K
A B I A N R C L Z G S S
T I A M A N P T O E R R
G K R Y A O O R B E O E
W E T N R A C U H K T L
S L R E Z N A C Y I A L
U E A M E S R K E B P O
B A I N A V O L I T O R
```

4. Down on the Farm

```
S R A B B I T U N T Y S
L I N A T C O E S R O H
P M A N T E E N P I D E
E F R E R H E O D N T B
E O M E R K B S E P I G
H V A F C I R H O T R H
S O L I L F D O G S Z G
T E H Z D E H D E E F W
O C I L R I T I M T O O
D M Q T A O G T E H T C
I G T O N M A N N O I
K R H R O O S T E R W S
```

5. Fantastic Food

```
L A E R E C A Y I M F I
U Y A S E R D T O A S T
T O R W Q P O O A N N E
Y L L B H E K D J T P H
L O A E G A S U A S I S
L O S I T M C Y H X Z I
E H E P O T A T O B S P
J P I N E A P P L E H A
O R Y W F G L U Y I K N
T C A K E G U S O U T S
K T O E G V C H P E A S
L A T E R U A P L S E A
```

6. Cool Colours

```
L W R R Q I E G N A R O
G H M K E S T L R V T F
E I G G H V I W J R Z G
P T I K U S I Q I O R
E E N T E R U Q N S E
L I D E R P H R S G E E
W G O L D T E U M G D N
O E L S V I C K C A L B
L R E W P D K H F P Z I
L G B R X D N Y L A N N
E W U E R D I N B S L S
Y P A V E R F O O A H T
```

9. At the Circus

```
S V E L C Y C I N U L D
T R Q K L B J Z G N I R
P M S A W D U S T T V L
O L P Q D R M D A I W T
N J O D K L V P C U C E
G M T P C O E E N B L K
M R G L N Z C Z G K P C
A H J E R Q L J N R
N S B P E F I R A W O T
B C A A D C B D Z O M C
Z R M T V R X L K L S T
T I E S R O H W J C R O
```

7. In the Home

```
J R V M E S A C K O O B
B T E L E V I S I O N B
E A B D H T B A T H T D
I F Y X C W G A Z N R R
B R E N A E L C M I A M
A L V E R S H J U D S S
T B T U R Q C T U L H K
A C N J O K U P C K B E
R A A O N E O V A L I T
C T S J U R C T V B N T
S Z B P J Z D K P S T L
S F I L M D E B R V Q E
```

11. At Work

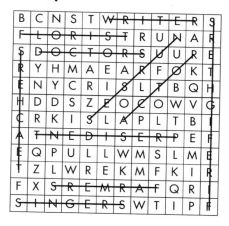

```
B C N S T W R I T E R S
F L O R I S T R U N A R
S D O C T O R S U U R E
R Y H M A E A R F O K T
E N Y C R I S L T B Q H
H D D S Z E O C O W V G
C R K I S L A P L T B
A T N E D I S E R P P E F
E Q P U L L W M S L M E
Z L W R E K M F K I R
F X S R E M R A F Q R
S I N G E R S W T I P F
```

12. Wild Animals

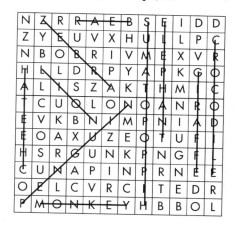

```
N Z R R R A E B S E I D D
Z Y E U V X H U L L P C
N B O B R I V M E X V R
H L L D R P Y A P K G O
A L I S Z A K T H M C
C U O L O N O A N R O
E V K B N M P N I A D
E O A X U Z E O T U F
H S R G U N K P N G F
C U N A P I N R N E
O E L C V R C I T E D R
P M O N K E Y H B B O L
```

8. Toy Cupboard

```
B A R B I E F G Q D B R
S R O Z T W A S G I J L
S K I P P I N G R O P E
M N O I T A T S Y A L P
H E R A E B Y D D E T
R O C K I N G H O R S E
Z Y X D V N H B K K F Z
Q N L M C A O A I O H I
O P U W K M B K J O J D
A C T I O N M A N B J O
C O L O U R I N G B K L
R T S E L B R A M F G L
```

10. Girls' Names

```
Z E L I Z A B E T H X Q
X M E I L N D Z O A W J
B J L N M A R Y B C T S
M D T E R A G R A M R P
K V R C I B Q J K Z O Y
U H S Y E N T I R B V E
K A O U S R O J P I H C
L R M K O C M A E P R A
D A B S T Q I V N F X R
N S E L D K G X A N M T
Z I V N W O B W B Z A S
A L M Z R J E N N Y R Z
```

13. Christmas

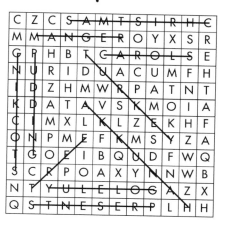

```
C Z C S A M T S I R H C
M M A N G E R O Y X S R
G P H B T C A R O L S E
N U R I D U A C U M F H
I D Z H M W R P A T N T
K D A T A V S K M O I A
C I M X L K L Z E K H F
O N P M E F K M S Y Z A
G O E I B Q U F W W Q
S C R P O A X Y N N W B
N T Y U L E L O G A Z X
Q S T N E S E R P L H H
```

14. Under the Sea

```
J Y X H U P W M J H F F
D C V N S H A R K Y D X
Y F U E K X E F J P N P
D D O L P H I N U D E U
E Q H D S V L R C I Q E
E M K U C F E H D A H S
W S W R J T L K F M M R
A L A C S S U X E R V O
E B X B V Y E C H E P H
S F O K D M Y K M E A
Y L E H S I F E A N Q E
O C T O P U S V H W J S
```

17. Clothes

```
G S E O H S Q I L U D L
A K H V F Y R B G M R F
U M X R I E N R U O E A
I N A O P F U N V K S T
H C L M H Q D A S O S R
S R U G B E M R K N O I
Y J E K R H E H H I M H
N U V W L S Y X B H Q S
F Q E I U R T A O C F T
M A V O A G T R I K S N
R B R L K N M U V E O G
Y T R I U S O C K S Y X
```

19. Space

```
Q G H G T E K C O R I V
B O M R L D Q Z B A H O
R M E A U W M G T S K L
D E T V V B O E N T O G
H T S I K L N X S R K E
M Z Y T G A R D G O S L
O B S Y L H M T K N W T
O I R P V T U H Y A X T
N U A T Q B T I L U O U
S K L D S R D Z D T R H
Q G O H A X N V O N M S
Z R S E L S R A T S X D
```

15. TV characters

```
N B O B F I X W T S A H
P A S H L T C H J U F I
L C U B O Y O K P S W D
E D Y M A M F T B E N L
K M Y A I L A H I Y P
G Y B S H N K C Y B E I
G N X P A S M P F S N U
A S L M Y S J O A G R B
M C E K W G U T X U A S
L H A F B J P H N B B X
S C O O B Y D O O C Y H
U H E N R Y A N L A W G
```

20. The Body

```
F O T R A E H S T U A R
T C Z Q H K E O D A E H
E R L A T U L M Z K B N
E K N M U S C L E Q F V
F D F C S Q N V E S T P
S L R E O A M N A R E T
A T Y U S N O B C L E N
C E P Q C B T K B R N O
F Z U K R L F A T Z K H
S L I A N R E G N I F
R P C L Q N O V R S H L
K N O T T U B Y L L E B
```

18. In the Garden

```
W R I R E W O M N W A L
H Y J T A L P A T I O B
E F D K O T R B L G N D
E L E L N P E T Y C Z S
L O A C B Z R J I D Q D
B W G W N D H E U C U E
A E R Y I E L V B J E
R R J T D Q F B K O L W
R K T A B K N G T I L K
O U P D W Y N A Q U Z F
W S R E S U O H Y A L P
J K G R E E N H O U S E
```

16. Family Fun

```
B E C E I N U I F K E M
H R X A L C J I H Z U W
N E P H E W S X B M R P
I S C B A M D N A R G
Z F O H I F G E M C E I
E A U J R D L A W N L O
I R S N E P A S H D H W
T M I R T I U D P K A U
N C N S S J H O N D K D
U O A M I H Z E I A Y X
A B L X S D N P F W R K
R B R O T H E R R U E G
```

21. Opposites

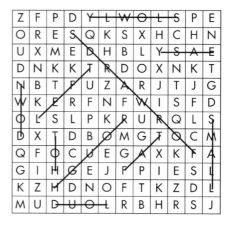

```
Z F P D Y L W O L S P E
O R E S Q K S X H C H N
U X M E D H B L Y S A E
D N K K T R D O X N K T
N B T F U Z A R J T J G
W K E R F N F W I S F D
O L S L P K R U R Q L S
D X T D B O M G T O C M
Q F O C U E G A X K F A
G I H G E J P P I E S L
K Z H D N O F T K Z D L
M U D U O L R B H R S J
```

22. Magic

F	E	I	H	C	R	E	K	D	N	A	H
A	B	R	A	C	A	D	A	B	R	A	M
O	H	N	F	D	H	S	E	S	W	Q	A
T	L	K	J	H	S	O	N	N	L	J	A
S	E	A	B	D	V	A	M	K	H	S	R
E	M	W	R	L	I	R	F	C	S	S	A
R	D	A	Q	C	E	H	D	I	V	X	B
P	C	K	I	T	N	N	S	N	Q	K	B
S	F	G	T	A	E	T	D	C	M	S	I
L	A	O	J	O	A	B	W	N	L	F	T
M	P	H	V	N	B	K	D	M	A	S	A
A	Q	M	T	R	I	C	K	S	J	W	Z

23. The Beach

O	G	H	R	S	W	I	M	S	U	I	T
D	T	E	W	I	N	D	B	R	E	A	K
U	S	L	C	S	A	Y	W	Q	L	N	C
N	A	T	J	U	D	H	X	D	H	O	J
W	N	S	G	S	O	G	C	D	P	T	J
P	D	A	H	Y	C	T	R	K	G	J	X
L	W	C	D	Q	U	L	F	H	C	N	H
E	I	D	C	H	T	C	N	B	W	E	R
W	C	N	P	A	D	D	L	I	N	G	D
O	H	A	H	S	I	F	R	A	T	S	C
T	E	S	D	G	H	S	O	P	U	Q	Y
Y	S	L	I	F	E	G	U	A	R	D	T

24. Time

O	M	I	N	U	T	E	C	P	S	Y	T
A	D	M	U	E	V	W	F	R	N	X	F
B	S	H	C	T	A	W	G	E	M	O	B
S	D	N	O	C	E	S	D	H	W	B	G
D	O	T	N	S	N	D	R	T	E	A	P
R	P	X	Y	A	C	A	H	A	Y	L	X
U	W	E	F	D	E	N	N	F	S	A	G
O	G	V	Y	M	B	T	D	U	R	B	B
H	A	S	B	A	O	P	S	N	F	M	S
T	N	H	E	Y	C	D	U	A	V	D	Y
C	B	M	D	X	W	E	M	R	N	X	A
S	H	T	N	O	M	G	D	G	D	S	D

25. Drinks

J	O	T	C	H	O	C	O	L	A	T	E
C	O	R	D	I	A	L	H	K	D	S	X
Y	C	B	E	D	A	Z	R	E	E	B	D
C	A	R	B	O	N	A	T	E	D	M	B
K	H	E	F	F	O	C	V	H	J	D	
J	D	M	C	N	N	S	K	W	I	N	E
S	X	T	B	B	T	Y	O	N	L	H	K
S	E	B	H	I	Z	R	A	V	C	F	C
A	L	K	V	Z	B	J	R	E	T	A	W
W	N	M	Y	Y	W	D	B	V	S	X	S
O	Z	P	F	M	I	L	K	N	A	O	L
I	A	S	N	M	C	J	U	I	C	E	Z

26. The Playground

G	L	Y	T	R	O	F	Y	S	E	E	K
K	E	L	N	I	J	D	S	I	O	Y	U
O	E	P	A	L	A	D	D	E	R	S	H
U	R	L	V	B	H	X	F	D	V	W	C
H	L	L	D	Z	T	D	F	K	U	G	T
B	K	I	A	A	S	O	P	X	I	M	O
E	F	N	W	Y	R	G	O	J	N	R	C
L	D	Y	T	R	T	C	T	F	H	Y	S
I	S	H	T	A	G	I	S	X	D	F	P
I	J	I	K	V	F	I	M	T	K	F	O
G	N	I	P	P	I	K	S	E	A	N	H
P	F	N	X	Z	H	W	T	V	J	C	S

27. Party Time

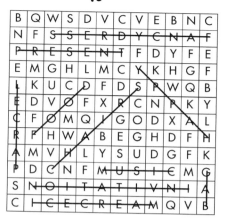

B	Q	W	S	D	V	C	V	E	B	N	C
N	F	S	S	E	R	D	Y	C	N	A	F
P	R	E	S	E	N	T	F	D	Y	F	E
E	M	G	H	L	M	C	Y	K	H	G	F
L	K	U	C	D	F	D	S	P	W	Q	B
E	D	V	O	F	X	R	C	N	P	K	Y
C	F	O	M	Q	J	G	O	D	X	A	L
R	F	H	W	A	B	E	G	H	D	F	H
A	M	V	H	L	Y	S	U	D	G	F	K
P	D	C	N	F	M	U	S	I	C	M	G
S	N	O	I	T	A	T	I	V	N	I	A
C	I	C	E	C	R	E	A	M	Q	V	B

28. Holidays

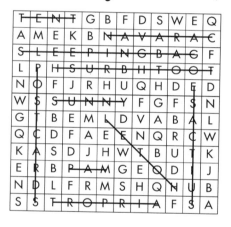

T	E	N	T	G	B	F	D	S	W	E	Q
A	M	E	K	B	N	A	V	A	R	A	C
S	L	E	E	P	I	N	G	B	A	G	F
L	P	H	S	U	R	B	H	T	O	O	T
N	O	F	J	R	H	U	Q	H	D	E	D
W	S	S	U	N	N	Y	F	G	F	S	N
G	T	B	E	M	L	D	V	A	B	A	L
Q	C	D	F	A	E	E	N	Q	R	C	W
K	A	S	D	J	H	W	T	B	U	T	K
E	R	B	P	A	M	G	E	O	D	I	J
N	D	L	F	R	M	S	H	Q	N	U	B
S	S	T	R	O	P	R	I	A	F	S	A

29. Farmyard Animals

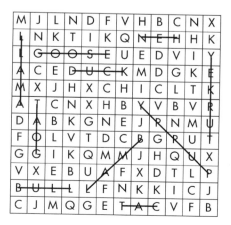

M	J	L	N	D	F	V	H	B	C	N	X
L	N	K	T	I	K	Q	N	E	H	H	K
L	G	O	O	S	E	U	E	D	V	I	Y
A	C	E	D	U	C	K	M	D	G	K	E
M	X	J	H	X	C	H	I	C	L	T	K
A	T	C	N	X	H	B	X	V	B	V	R
D	A	B	K	G	N	E	J	N	M	U	
F	O	L	V	T	D	C	B	G	R	U	T
G	G	I	K	Q	M	M	J	H	Q	U	X
V	X	E	B	U	A	F	X	D	T	L	P
B	U	L	L	L	F	N	K	K	I	C	J
C	J	M	Q	G	E	T	A	C	V	F	B

30. Bedtime

```
G J K B V C F D S W H S
Q E I T H G I N R T Y C
S K W Z C U I K L I M I
K W T Q V G M S C C F T
C B X S J G M C N X W Q
U T H R S A F W K A G J
T E D Y E M T H T C I S
K D V R C V B E Z V H T
G D D W U Q R U J B D O
F Y C H R X K C F S W R
S B Z F T W O L L I P Y
X T H G I L Y D H G V K
```

33. The Letter 'W'

```
W V H F W A T E R F D S
A D C E D W R I T E W R
L R T E S X W Y N W H G
L K S J J R O Y R E I S
W N D F S H E R I A T W
G F T O C I P K D K E C
D X N A F S H R S G S S
Y E V T N T S E G S
W W H R A G X N A F H E
V K S M D S S Y C W T W
T F O G A W A T C H T F
S W A R D R O B E E A S
```

31. The Desert

```
B M N H U S A N D I D F
H I G K T Y U G N H C O
N R V B D L F C E U A T
U A C H B I F R D S X N
E G X E G Z T E I V G O
T E G E I A U S H T B I
O U F R K R L T N G Y P
Y E N T D D C E I D R R
O V I M B N F E M U F O
C U G L H T X G K A N C
B R T A E H Y V B G C S
K D E P D R E T A W I H
```

34. The Letter 'S'

```
S D F G M H S L E E P J
I K S E L S P C O S R S
L E T I K U D I T J I T
V S O R S O E A S S D S
E D K O S W R A K R R I
R W R Z O S N F G E L D
F R L C D A D E S P O N
Y H J S T S K N D F H E
G S R N U W A R A I C V
I E U O J I L J S L G E
K S Z X L D T R K S F S
R U S Y G N O S R O S H
```

32. Flowers

```
J K N P A N S I E V H C
X D A D A I S Y R F O J
H R T N Y S N A P G L K
P C E B J F G D U C L X
R N F W Z F K G C N Y A
E E G E O M B D R V J Y
T V F N E L A M E N T L
A K H S S X F P T Q E I
L M O Z B D R N N S L
J R D E P A T S U H G K
X A T E U Q U O B S J P
D N G M V Q N G F A E L
```

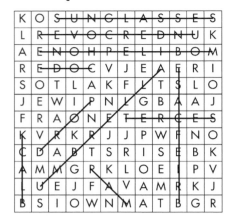

35. Spies

```
K O S U N G L A S S E S
L R E V O C R E D N U K
A E N O H P E L I B O M
R E D O C V J E A E R I
S O T L A K F L T S L O
J E W I P N L G B A A J
F R A O N E T E R C E S
K V R K J J P W F N O
C D A B T S R I S E B K
A M M G R K L O E I P V
L U E J F A V A M R K J
B S I O W N M A T B G R
```

36. Birds

```
N R O B I N F C H S T U
D I K X E O O K C U C Y
W R A G G N I M A L F M
S N I M O P K E N B O A
H W F B N D T O R R A P
Y O T E G C I R C U V F
M R U A E N E B Y P M H
N R X G S O I N U K E
B A A L W H F M G T I X
I P D E O K M A M D J F
N S Y T R C P F E U U C
M E F B C U N W X S H B
```

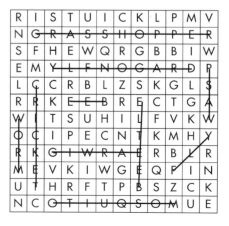

37. Creepy Crawlies

```
R I S T U I C K L P M V
N G R A S S H O P P E R
S F H E W Q R G B B I W
E M Y L F N O G A R D P
L C C R B L Z S K G L S
R R K E E B R E C T G A
W I T S U H I L F V K W
O C I P E C N T K M H Y
R K G I W R A E R B L R
M E V K I W G E Q P I N
U T H R F T P B S Z C K
N C O T I U Q S O M U E
```

38. Jewellery

```
K L N I A H C Y L L E B
D P E A R L S V X U E R
R J E C A L K C E N N S
S N W O B L R Q K D I Z
G A U J R W C L A S P R
N N B E A D L N W S L J
K V J C Y B E H J A K
R L X D E I D E O R Q S
R E O W L L S B A R F D
L T K Q E Z U J D W B L
N E S R T O T J V J I O
L S G N I R R A E W X G
```

41. Wild Animals

```
L O E L L E Z A G M D S
D G R U Y W U T V B D N
M L H C K B A B O O N D
H W V D X E K A N S R
U T L N M D M A Q J Y N
S S E A L P U S O G R O
K U S R Y H A C K W H O
Y R O V H Y E N A L D S
W L M A U T A Q Z D C A
C A K D L N Y W V E M B
R W X R A U G A J O E T
A T L E O P A R D S U N
```

39. Boys' Names

```
S D K O M A R K P V W Q
Y U G C L I V E B R D L
B H N D H U G W F N D N
V Q S P Z I X H G N S O
A R E L W K U I H V K T
N P L H D C O P B P D
D W R S L B J O Y R U H
R F A D L G G Q V I N M
E L H I U H X B K L A
W Y C Z A P B O B D O D
Q D K G M F R P Z S W A
B V D R E T E P I N Y C
```

42. The Sea

```
O J K O C T O P U S O N
I E L V D X Z S D E W E
D S T P I R A N H A O X
U S J O G H I T K S D
V O J E E D O P J U F R
E H W L V F C L B G D A
R T L A T C E M J L B U
K H Z H S T A I B O C G
I G J W B R N G A E Z E
V D X K H T W V D F
S L E M P L J J X L K
W G E F D I U Q S O H L
```

40. Countries

```
B N M S A M E R I C A C
D N A L R E Z T I W S M
K C E A I N F L C U S A
M Z I T A L Y B E G G U
F H L W K A H R E D K S
K O E S T I G R U N N T
A L C U C E M T A A S R
C A A M N F I C E G H L
L N R Y S H K L N N W I
F D P E G A U H F E S A
W B Z S P A I N R I M E
```

44. Creepy Crawlies

```
H A R V E S T M A N R C
N R H T Y R U B K N Y W
T E Q G E N T I P E D E
W T Z O D I K G J S H I
O A R C H G J S G D H U
O K L K B W L N H C T F
D S S R Y U S F E R G H
W D I O G Z S E E D H G
O N N A T K L D I U Q L
R O Y C B R H I N L T B O
M P N H D G T W U N J
K S R L S N A I L T Z A
```

45. Characters

```
J O B I V H A G R I D R
B E L L E A J E S O R W
Y C J Y D O O W D G A C
I S R H G V Y C K J E N
O H E W J N J M X C Y A
X E T A N A R B O B T I
B R I S C P H A K R H T
E A M R N R I M E D G S
D Y O C V E O B N C A
S V N I E T W A X L E
N J E H N E S C V J V E
S I M B A P B C O Y I S
```

43. Weather

```
I T E M P E R A T U R E
H G O N S T G K M I E B
V N B F R O S T R O N T
O I M Q Z V C G B V I H
K N E N A C I R R U H S
B T C I R E P O R T S O
O H B G O C H F R C N I
G S T D N C S L I U K
T I V N M U V K N Q S M
S L R H Z O V B O N N
E O Q A I G V L T G W M
S N K R L K J H C H S Z
```

46. Films

```
G B L M E R M A I D L D
N C A S F E T X H N O G
O L O B E A S T R U I S
K N L H D M W E B L B N
F G E R I H Y T K D M A
K D R I W H F S G I T
L E E T B K C O X F T
U C D O R G R I N C H A
H L N E H N F E M R D M
S H R G P M A R T H L
T F C X D O C T I B N A
E T O Y S T O R Y L S D
```

47. Games

```
I L M N R S T U W C B P
H Y R A N O I T C I P E
O P E R A T I O N T D T
P W Y B I E K Y G M L W
A S L U S C F G D I B
R C O N L R J S Y N H S
T R P M P T E E H T D T
E A O I R E D D N E P E
S B N H D L B K D G W R
U B O S D R A C U A A C
O L M U P M T I N E L T
M E S C L U E D O R L H
```

48. Royalty

```
L B V C D Y N W E X Q L
J O P W A L E S E S S F
G D F S T I E C N I R P
C Y N S E R V A N T S E
A G C E D O Z T Y N J G
S U V T Q K C R O W N S
T A Y L H J F D S E V N
I R R Y W R K G M Z N E
E D N P I N O V T I L E
Q D E S N C M N D Y E U
L T H F E Z O X E Q W Q
I V E C A L A P G J C M
```

49. The Letter 'P'

```
A P Y J A M A S T O N A
R D P T P N G P A S E P
D P A R T R I D G E O R
P O N A R E H T N A P D
A P E S U R C H A J N X
R N A A O D P N U T M B
N S H R M A D A O D P T
U R P P G E G R T R E S
T A C A U P R A M A G O
A P R P J A G P S O C P
K M A O P D G R U K P T
```

50. School

```
B L E S S O N S T J L I
K U F O E R E H C A E T
H B M I B V S W X M K T
O L S T J L F S R D A N
M A T U K G Q O A G Y X
E C R S U F F D M A U Z
W K O T I B J D S W S
O B K D N V I T G M R
R O S U M E L S S A Q E
K A M K U O X O X L B L
S R Y J H W G E D S F U
O D G I R E N N I D V R
```

51. Food

```
D E S S E R T L B U A G
W R E A T H R W B M S R
Y V A R G L Y E L O H A
A E H A Y T F A G Y O P
S U N D A Y I E L R J E
U N E M O M A C B K U S
D E W H I T H U T H A B
J I L B N M A E N I S
K P T A P Y F K D E I W
E P S S I N S E L O B M
I A P N G E N O C A B D
Y M G N I L L I F E A E
```

52. Christmas

```
K D U V I S E L B U A B
W R E A T H F G X E A W
L E P F N A M W O N S K
S E J K N K H C E I K U
H D A L H C I E L S I E
F N E I C O A L M F J N
K U V Y T K H O N A F
D E G W N S D E E R L Y
P R X A F L F K V U A G
J W S T I N S E L W E C
F P A N G E L A S I J X
V M I S T L E T O E L D
```

53. Clothes

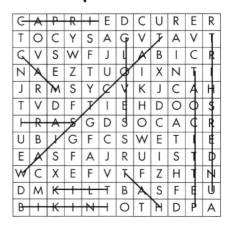

```
G A P R I E D C U R E R
T O C Y S A G V T A V T
G V S W F J L A B I C R
N A E Z T U G I X N T I
J R M S Y C V K J C A H
T V D F T I E H D O O S
H R A S G D S O C A C R
U B I G F C S W E T I D
E A S F A J R U I S T D
W C X E F V T F Z H T N
D M K I L T B A S F E U
B I K I N I O T H D P A
```

54. Nature

B	L	A	C	K	B	E	R	R	Y	N	L
M	P	K	A	O	L	D	W	N	F	B	P
E	I	N	T	E	K	L	Q	K	D	U	B
E	K	K	B	N	V	G	J	M	I	B	L
B	R	F	D	U	N	N	M	I	B	L	L
E	H	N	B	K	W	I	E	O	S	N	N
L	F	N	I	R	S	P	L	I	N	K	K
B	N	M	K	E	G	U	D	O	F	Q	P
M	O	L	W	O	R	C	E	R	A	C	S
U	B	O	L	K	F	H	E	S	K	N	K
B	W	N	F	T	T	E	S	B	D	M	F
C	A	R	P	P	Q	N	E	L	W	I	V

55. Desserts

D	O	K	V	U	E	H	S	W	G	K	C
B	A	C	Q	P	A	V	L	O	V	A	Y
M	N	L	Y	T	B	R	D	G	N	H	S
A	R	K	A	D	F	E	F	R	U	B	O
E	S	H	W	S	V	P	I	E	I	R	T
R	O	E	V	K	T	R	W	T	Y	A	V
C	Q	G	B	Y	N	I	C	H	O	K	E
E	C	L	A	I	R	G	U	B	R	S	K
C	K	C	O	B	B	L	E	R	C	A	T
I	S	O	C	R	U	S	E	V	F	L	R
V	H	W	U	A	E	T	A	G	K	A	A
G	B	E	K	A	C	O	K	B	U	S	T

56. Hobbies

F	E	N	D	I	G	N	I	D	A	E	R
N	X	B	G	O	G	Z	G	F	N	R	I
R	G	S	L	N	J	J	H	N	E	O	E
G	G	M	N	I	F	S	G	B	F	X	X
N	H	N	E	B	D	T	E	U	I	Z	E
R	N	K	V	G	L	T	R	M	F	R	R
C	G	E	D	O	K	F	R	I	X	F	C
N	B	T	I	X	N	Z	O	W	N	E	S
A	F	O	O	T	B	A	L	L	D	K	S
D	E	L	R	E	T	U	P	M	O	C	E
F	I	G	N	I	N	E	D	R	A	G	B
N	S	E	W	I	N	G	W	E	G	D	F

57. Girls' Names

K	P	E	N	N	Y	L	I	O	R	S	T
U	K	T	A	S	E	R	E	T	H	H	J
O	I	J	K	H	F	T	E	I	S	O	R
A	N	N	I	E	J	D	U	W	X	K	S
F	R	L	W	B	S	P	C	X	R	D	P
H	I	A	N	I	T	N	E	L	A	V	I
E	N	N	K	T	J	D	I	T	B	S	Y
Y	D	A	U	O	F	E	J	K	F	J	J
S	I	J	H	L	K	S	G	U	H	C	J
L	X	D	W	F	R	P	D	S	H	W	K
O	T	P	B	U	K	R	C	X	I	K	Y
J	A	N	N	O	D	A	M	T	O	E	L

58. The Letter 'M'

E	S	T	M	N	I	A	T	N	U	O	M
C	W	R	I	X	F	T	W	S	N	C	K
L	M	E	D	I	C	I	N	E	E	M	I
N	B	U	S	Z	M	O	S	C	O	W	U
M	C	S	K	E	S	V	B	T	R	F	M
V	W	T	X	I	E	H	G	P	A	M	N
U	O	F	T	K	L	M	E	C	L	D	T
K	M	R	A	W	S	N	M	S	X	K	S
I	Z	B	E	C	A	U	T	K	L	B	R
M	M	E	M	J	E	I	R	I	E	R	A
R	U	X	S	T	M	F	M	X	F	Z	M
L	E	K	I	B	R	O	T	O	M	C	E

59. Flowers

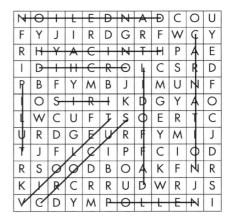

N	O	I	L	E	D	N	A	D	C	O	U
F	Y	J	I	R	D	G	R	F	W	C	Y
R	H	Y	A	C	I	N	T	H	P	A	E
I	D	I	H	C	R	O	L	C	S	R	D
P	B	F	Y	M	B	J	J	M	U	N	F
I	O	S	I	R	I	K	D	G	Y	A	O
L	W	C	U	F	T	S	O	E	R	T	C
U	R	D	G	E	U	R	F	Y	M	I	J
T	J	F	L	C	I	P	F	C	I	O	D
R	S	O	O	D	B	O	A	K	F	N	R
K	I	C	R	R	U	D	W	R	J	S	S
V	C	D	Y	M	P	O	L	L	E	N	I

60. Birds

H	I	N	E	R	W	A	C	N	O	C	Y
S	L	Y	V	J	B	E	F	W	R	B	G
W	E	Q	G	W	D	I	Q	Q	S	X	C
A	C	N	S	E	C	Y	V	J	H	F	E
L	V	I	H	T	F	S	A	E	L	A	R
L	U	L	T	N	R	D	B	J	Y	L	E
O	L	A	J	X	G	I	W	F	V	C	A
W	T	Q	H	R	T	Y	C	B	I	O	C
B	U	N	A	W	S	L	D	H	E	N	N
F	R	E	I	V	E	A	J	N	D	L	I
A	E	N	C	L	L	U	G	A	E	S	B
T	I	T	M	O	U	S	E	S	E	Q	Y

61. Fairies

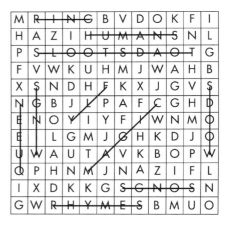

M	R	I	N	G	B	V	D	O	K	F	I
H	A	Z	I	H	U	M	A	N	S	N	L
P	S	L	O	O	T	S	D	A	O	T	G
F	V	W	K	U	H	M	J	W	A	H	B
X	S	N	D	H	F	K	X	J	G	V	S
N	G	B	J	L	P	A	F	C	G	H	D
E	N	O	Y	I	Y	F	J	W	N	M	O
E	L	G	M	J	G	H	K	D	J	O
U	W	A	U	T	A	V	K	B	O	P	W
Q	P	H	N	M	J	N	A	Z	I	F	L
I	X	D	K	K	G	S	G	N	O	S	N
G	W	R	H	Y	M	E	S	B	M	U	O

62. Space

P	R	O	B	E	N	J	M	H	B	I	A
F	A	C	D	K	P	A	I	N	A	H	T
W	B	S	H	R	U	Q	S	D	S	E	M
N	V	Y	E	I	J	I	S	W	T	T	O
Y	U	R	A	N	U	S	I	F	R	I	S
X	D	C	F	R	J	K	O	K	O	R	P
A	P	J	I	E	F	R	N	S	N	O	H
L	M	E	R	C	U	R	Y	P	O	E	E
A	F	R	A	H	W	N	C	J	M	T	R
G	N	O	R	T	S	M	R	A	Y	E	E
N	B	I	N	O	I	R	O	D	F	M	N
A	J	K	S	A	T	U	R	N	G	I	L

63. The Park

S	L	I	D	E	A	I	C	H	V	E	N
V	F	N	D	T	I	P	D	N	A	S	F
N	X	H	B	T	R	H	K	L	O	B	I
E	C	B	I	C	Y	C	L	N	C	I	P
O	R	O	U	N	D	A	B	O	U	T	H
D	F	V	L	H	W	V	C	D	E	V	C
A	S	W	I	N	G	S	U	F	L	D	A
T	B	M	N	O	E	C	M	S	S	Y	N
R	D	K	X	D	K	I	S	B	E	A	R
E	N	H	F	S	V	A	C	H	M	L	I
C	O	L	B	Y	R	A	T	V	A	P	X
O	P	W	E	G	M	D	N	E	G	F	K

64. Landmarks

G	A	H	T	O	W	E	R	K	G	S	D
B	U	C	K	I	N	G	H	A	M	T	L
E	U	D	F	Y	E	N	D	Y	S	B	E
H	S	T	M	S	A	N	G	W	U	X	F
B	D	K	T	V	R	X	S	E	A	K	E
R	I	C	E	R	V	I	M	H	A	V	L
I	M	U	B	F	I	D	S	F	T	D	E
D	A	N	N	G	A	R	H	A	K	U	G
G	R	W	E	S	U	G	A	J	A	N	H
E	Y	G	B	X	H	T	K	R	B	E	S
K	P	A	D	F	F	V	E	M	I	M	L
E	T	L	I	B	E	R	T	Y	C	S	W

65. Dogs

I	B	E	R	N	A	R	D	T	O	R	K
C	H	I	H	U	A	H	U	A	I	O	P
S	F	G	O	S	U	E	T	E	A	F	D
H	I	P	B	R	I	H	R	K	E	B	A
E	K	A	O	L	W	L	Q	T	L	G	L
P	S	T	L	F	E	Y	H	R	D	S	M
H	F	O	E	N	I	G	I	E	O	H	A
E	C	U	N	J	Y	O	T	X	O	K	T
R	G	E	U	Q	A	K	O	O	P	G	H
D	K	W	R	B	P	E	S	B	U	F	A
N	H	H	R	O	D	A	R	B	A	L	N
D	N	U	O	H	Y	E	R	G	I	T	K

66. Spies

E	U	F	O	E	G	R	S	R	A	C	T
N	B	D	K	B	W	N	X	V	K	H	J
E	I	Z	S	A	R	E	M	A	C	S	R
M	N	S	H	T	J	T	R	B	D	B	E
Y	O	F	H	L	K	D	G	N	F	Z	M
R	C	D	B	K	E	E	W	S	U	W	R
G	U	B	O	J	U	R	R	T	X	G	O
O	L	F	N	N	T	G	S	D	C	O	F
S	A	E	D	I	S	G	U	I	S	E	N
D	R	X	V	W	O	F	Z	K	B	U	I
K	S	G	A	D	G	E	T	T	E	G	N
J	H	N	O	I	S	O	L	P	X	E	D

67. Hairstyles

T	K	G	F	J	L	H	D	F	X	E	R
I	E	R	N	K	T	A	E	L	P	V	C
A	X	F	C	R	I	M	P	E	R	I	F
L	T	L	E	D	G	N	L	B	O	B	G
P	E	H	K	F	Z	W	T	R	U	K	V
H	N	A	L	S	E	H	C	N	U	B	V
C	S	T	J	D	I	D	G	X	E	X	Z
N	I	Y	M	S	S	R	E	L	R	U	C
E	O	N	H	N	V	K	E	H	P	J	I
R	N	O	X	O	L	R	F	I	L	F	D
F	S	P	F	R	D	N	L	W	G	D	S
E	N	H	L	I	C	C	V	Z	M	R	J

68. Sports Equipment

M	C	B	A	F	H	N	D	W	B	L	G
A	Z	U	R	T	E	K	C	A	R	S	X
T	S	B	Q	C	Y	I	P	S	T	V	J
R	V	T	P	A	D	S	V	O	H	A	T
A	G	F	N	C	F	R	O	I	Y	C	R
H	B	D	S	L	V	B	D	V	G	F	A
S	R	A	W	X	U	S	B	T	G	P	R
D	I	Y	T	C	V	A	A	R	A	J	N
N	J	P	Q	B	L	C	I	S	B	R	E
A	J	G	T	L	R	H	Z	D	L	R	X
B	G	S	E	L	D	R	U	H	U	Q	S
X	V	A	C	N	N	G	W	R	V	B	Y

69. The Beach

M	S	H	L	R	K	T	O	W	E	L	P
S	L	D	U	C	W	J	H	V	U	I	S
K	L	T	O	F	G	G	X	Y	E	J	H
N	U	R	M	J	R	D	G	R	J	H	G
U	G	I	Z	S	L	L	E	H	S	K	L
R	A	S	E	S	S	A	L	G	N	U	S
T	E	R	G	H	D	F	D	G	X	U	S
J	S	K	M	T	D	H	G	I	B	E	S
U	P	O	S	T	C	A	R	D	S	W	N
B	S	I	V	W	X	L	G	Z	J	D	O
R	D	L	O	O	P	K	C	O	R	M	T
F	S	W	I	M	S	U	I	T	S	H	S

70. Party Time

R	P	G	A	S	T	L	E	D	R	S	X
A	C	O	O	R	C	H	N	M	A	K	N
N	I	S	A	E	C	O	G	M	P	N	L
N	E	T	E	M	R	T	A	D	G		H
	L	P	R	A	G	G	R	E	R	D	
V	P	F	B	E	O	F	E	T	P	D	I
E	O	J	B	R	N	E	M	E	O	D	H
R	R	T	W	I	G	E	L	E	R		I
S	P	T	E	S	D	E	N	V	I	A	D
A	C	T	R	E	F	I	T	Z	Z	C	E
R	E	D	R	E	S	S	T	A	O	C	
Y	D	D	W	O	R	E	N	N	A	B	R

73. Detectives

N	H	K	V	N	H	O	U	N	D	B	K
A	B	L	S	T	U	D	A	G	I	O	X
X	G	N	I	Y	F	I	N	G	A	M	E
N	O	S	V	D	O	O	L	B	W	J	T
T	D	H	S	B	F	L	K	V	E	T	H
S	K	E	G	H	Y	A	T	S	R	Y	B
Q	U	R	I	C	N	Y	B	A	R	A	N
	A	L	V	L	R	T	Y	E	F	V	L
V	G	O	E	U	T	L	T	K	D	J	S
E	F	C	J	E	V	S	U	E	S	A	C
W	N	K	L	S	Y	U	H	O	G	V	I
A	X	B	D	M	A	L	I	B	I	T	F

71. Pets

K	J	P	A	R	R	O	T	U	Y	T	R
G	E	W	E	S	I	O	T	R	O	T	B
U	I	B	R	O	G	D	S	C	W	K	J
	E	L	K	I	Y	F	I	S	H	H	Y
N	E	B	U	F	D	X	E	O	C	I	V
E	K	J	Y	J	L	I	B	R	E	G	R
A	A	O	T	K	C	D	S	L	F	S	E
P	N	R	G	B	S	E	C	V	D	K	T
I	S	D	G	W	C	A	U	H	J	G	S
G	U	E	O	M	T	J	I	Y	R	T	M
Y	J	D	D	N	F	X	J	O	B	E	A
S	I	R	A	B	B	I	T	D	C	W	H

72. The Letter 'L'

L	E	L	O	L	L	I	P	O	P	R	V
	X	R	B	A	D	L	O	L	L	Y	W
M	C	L	X	N	O	Y	J	F		S	R
E	R	H	V	B	G	L	H	C	F	D	L
S	E	O	S	K	S	J	R	H	T	R	N
B	D	T	W	E	X	K	M	N	K	E	S
Y	E	N	C	F	E	T	A	O	H	F	G
R	G	J	H	E	R	L	B	M	H	G	E
E	C	A	L	F	S	D	V	E	O	T	L
V	R	R	S	U	M	T	I	L	D	W	H
D	L	X	O	S	S	A	L	Y	S	L	M
K	F	T	G	L	H	E	J	B	C	N	A

74. Trees

M	N	J	R	J	E	K	F	T	W	I	G
B	I	R	C	H	D	S	A	N	R	G	E
Q	S	B	R	I	F	Y	N	O	H	M	V
X	U	F	G	C	T	A	M	H	J	J	E
J	O	J	N	K	B	T	F	A	N	T	R
Q	U	R	D	D	P	E	C	W	B	R	G
R	R	H	M	L	F	T	E	T	H	U	R
C	A	A	E	Y	S	H	X	R	C	N	E
H	D	M	V	E	G	P	J	O	D	K	E
A	E	J	R	J	I	U	N	O	A	M	N
R	C	O	N	N	D	J	T	T	Y	U	C
D	F	Q	D	L	B	E	E	C	H	F	X

75. Boys' Names

N	J	T	O	L	R	O	B	I	N	N	M
J	D	H	R	E	K	I	M	S	K	I	T
A	B	X	C	W	N	T	Z	G	U	N	F
M	B	I	L	L	Y	R	K	T	E	F	S
E	G	I	O	T	J	S	W	I	O	H	X
S	E	K	F	N	D	M	L	H	R	G	T
H	V	L	R	S	C	D	B	K	C	I	D
O	E	T	N	I	D	X	H	I	K	U	N
M	T	J	Z	M	V	S	O	E	T	E	D
D	S	C	G	F	U	A	H	S	J	K	M
H	A	R	O	L	D	N	D	L	K	U	T
W	X	N	I	K	R	H	C	Z	N	L	B

76. Musical Instruments

J	K	R	E	T	R	I	A	N	G	L	E
S	T	R	U	M	P	E	T	I	U	M	N
W	H	B	V	A	X	J	T	E	G	H	I
Q	M	K	E	P	B	D	E	Q	U	S	L
R	V	O	N	E	U	R	N	H	I	F	H
K	B	I	S	H	G	R	I	K	T	V	R
O	L	U	M	C	L	B	R	P	A	B	X
E	A	J	U	K	E	V	A	G	R	W	I
W	H	G	R	V	K	S	L	K	M	J	A
I	B	R	D	H	Q	H	C	E	I	N	Q
P	I	A	N	O	R	X	U	N	R	O	H
N	V	N	I	L	O	I	V	A	L	K	P

77. Pirates

O	P	A	R	R	O	T	I	B	S	K	L
L	C	B	E	R	U	S	A	E	R	T	V
G	E	L	B	R	E	X	W	H	Q	J	O
S	K	R	I	H	O	O	K	A	I	N	F
G	D	H	K	V	O	U	D	G	T	E	B
F	L	H	C	E	F	L	H	G	A	L	F
B	O	S	Q	T	J	K	B	D	T	I	D
R	G	W	Y	E	A	B	I	V	S	U	L
O	B	V	T	L	R	P	H	C	X	O	L
G	X	I	L	K	Y	F	E	R	L	E	U
E	P	I	H	S	G	E	V	Y	Q	W	K
S	U	H	C	K	D	U	R	S	E	J	S

78. Sports

```
G B K T V S I M P H L Q
Y T E K C I R C L L N S
M S B L W F N L A J K A
N E H G L S A B D R S T
A B I O D B Y S W K L H
S A G T T E G U B S W L
L V O L J M H T P A E L
L O L B N L N I D R T
C F O G G N I W O R C
S V W H U S Q K M V H C
I L L A B T E K S A B S
T A B L E T E N N I S W
```

79. The Sky

```
H E L I C O P T E R D V
I O S N O O L L A B O J
J B N M S U N E W N Z Q
H K R T Y X C N V B V R
E V A D B J U I H C B Z
O R I T B R U G I L C I
S Y N B I R D S H O T E
K J M C U Y O D K U N M
B Q Z W H E X Y R D B O
D S E N A L P I V S M O
F I R E W O R K S N J N
N E P O C S E L E T O Q
```

80. Shops

```
K J M A N A G E R H L N
S A P Y E L L O R T V B
E N L D F H V T F Z G F
C F H D R K D L A D K
U E G B J S X B N L A T
R L P G V X R J N S I X
S F L A S X L M F Z T
K T R V D B A G J R
Y A P R I C E S B Y H P
T O L G N I K R A P V K
A G F A M R O F I N U N
V T A N N O Y H L P T B
```

81. In the Garden

```
G N Y H M P B U R H S K
O L T R O W E L P C L U
A T E G N B T S K E B N
L S M C K R N U R C S K
P E Y L U R J T H M S U
O V P C O N S K G N A C
S O H H G O T B H M R M
T L T E P K C H R P G L
S G H M B D C F K G Y H
C M O N S R A E H S C T
Y C P L R E D N E V A L
G K B I R D B A T H U E
```

82. Food

```
M G C H E R R Y L E M X
P I R S O U P V U W B P
W C K Z E Q H D E C I X
X E Y M J N F S W Z S P
U L D N G L I D Z S G C
O E R I B K D A R M Z K
H R A E N E K C I H C U
C Y T M V G X T G N D R
E D S W I P A T E M L I
G M U O U K E G Q B Y P
P L C H B A N A N A V T
Q R Z C D W F M E R X D
```

83. The Farm

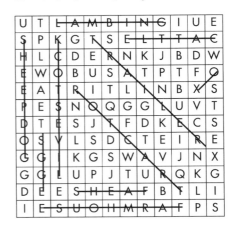

```
U T L A M B I N G I U E
S P K G T S E L T T A C
H L C D E R N K J B D W
E W O B U S A T P T F O
E A T R I T L N B X S
P E S N O Q G G L U V T
D T E S J T F D K E C S
O S V L S D C T E I R E
G G K G S W A V J N X
G G L U P J T U R Q K G
D E E S H E A F B T L I
I E S U O H M R A F P S
```

84. The Letter 'B'

```
B B H J M O J N A B N V
U B O X E R B A I R S T
T V E W O R R O B U D C
I I D L O F D N I L B J
L E U N J S B V V U M H
O L S H U R T E M B O B
C T B A M B O O I A O N
C T A C D V V I J T R D
O O V B M T B H N R B E
R B S R K N C A A M S B
B U H E J C T U B K M V
T I R U O I V A H E B N
```

85. Jobs

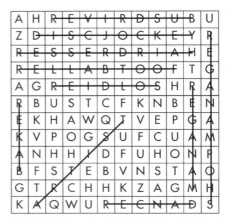

```
A H R E V I R D S U B U
Z D I S C J O C K E Y R
R E S S E R D R I A H E
R E L L A B T O O F T G
A G R E I D L O S H R A
R B U S T C F K N B E N
E K H A W Q T V E P G A
K V P O G S U F C U A M
A N H H D F U H O N P
B F S T E B V N S T A O
G T R C H H K Z A G M H
K A Q W U R E C N A D S
```

86. Opposites

```
A B I S W I N T E R T J
L U C J F V X E P K C Q
Z O T H O D A Y W H A E
N F V V B I U C S R N U
O R S E A F E O T E V T
T I K E C K V J M S I C
H B V W A D R Y J A G R
P J T D T F M U B F E
N X S Q X C B I K I P V
G K C A L B O Z N S E E
F I E T U R A D C J A N
K A T H G I L W B V S X
```

87. House

```
C U I O T H G I L D F H
K S L M V K P R I Z B C
F R Q H B F O O R T X
E U D T A T L K M V U O
E O O Z I C C A R P E T
T B V F H H H L F C H B
E H I R E F I M E S E
G G N K O N G D V K P D
A K U O S H N C M V R
R E E P M F Z I M Q O O
A N R R C B R X U K C O
G X D M V B P L I H C M
```

88. Chores

```
B A B Y S I T T I N G G
A T S G N I T S U D B G
G G C M G N I P E E W S
N N O C P B J G R M G T
I I U R T A H N B W N B
H N R W S D M I C A I D
S O I G C V P W R T N J
I R N H V X F O T G A C
L I G D A B N M H S E M
O D W A S H I N G H L P
P G T C M B J R T D C W
A R P G N I M U U C A V
```

89. Drinks

```
M G L E K A H S K L I M
B C H A M P A G N E N G
L E M O N J O K P B G R
K N O G O C K T A I L A
L E N S L T V M E Z H P
E T I E I H T O O M S E
M L C R B W H G T N H F
O B U P O U J N M V B R
N J E G V S B K Z E M U
A M M E N R L T E F L
D N W P I H R K G T T
E O L V M T S O E C I D
```

90. The Letter 'Z'

```
T R F S Z E I B M O Z A
G Z H A U V K I B R L N
Z E M N Z B F D E Z S R
I B E B E D F G G H I W
N R T Z R A L S O O Z K
I A R I O V H G E F U R
R E E D E B E Z M A F E
R L U K Z H B N R T R P
I S F C A I D O Z F Z P
A G T I W E N L V U E I
Z V G N I Z B A K H S Z
V H Z M Z I G Z A G R D
```

91. Shapes

```
J T R I A N G L E M O Z
V V A L K J N S Y G L S
S J Z J F G T P O F I J
F D P H N G N C U N E O
L D G O V F T K D O R L
A X L M C A S M J G A M
Y B L K O V F G N A U O
O F C O R A T S N C Q Q
G M N J D P S Z M E S A
P E N E L C R I C D L D
Z C E B U C E K G J O E
L P E N T A G O N F R D
```

92. Weather

```
A J K O V E R C A S T O
U L B A R W V H X S C J
I E T D M S N O W T Q J
U V C S T H U N D E R D
M A O J P H D G K D B G
N W J S B R E E Z Y F X
R T K V C A J H T H R H
V A L S T O R M K D J E
A E W H Q F H H S O L M
N H X D N I W J H A P D
E C S A J B M N G Q C B
R D I M U H T O K V W R
```

93. Girls' Names

```
H C H R I S T I N A W V
U C V K O P I R S T H M
G E L Q J Z C H N B Y T
T I L H J K A A D C V L
E L M T G R N S U K W T
E B H O N W S I R Z
N K M A G F P Q J R E
N J K O T H A M I M E J
R J L C V I C K Y U O
M D O N N A H T A C T B
T O U J P Q M A R I A C
K A T E A R K H W G M J
```

94. Weddings

```
J I D A N C E R F H V C
B D Q K E D R E S S I B
C F S J W J M U E B T
R A V N O O M Y E N O H
I M N B J B T D K F G J
M S H E T F I E H C B R
U E F L G Y Q S C R J
S D J W E H W R H A B
G F E J M K C U Z T W
N R B V S U M A H B L V
B H C J B I N C F A R
R K Q S P E E C H V E T
```

95. Monsters

```
L O C H N E S S G H T Z
F W P T R O L L O F P M
L A M O D O P S I U U L
N L H N G F W U H M D F
A U K E T E L Y M E G T
S C P I S T Y N K R N
U A D L A L L I Z D O G
D R M A G O D H Y J F H
E D F Z F L O W E R E W
M P L H W T N G D P L T
N I E T S N E K N A R F
T G S G O B L I N Z S O
```

96. Nature

```
G H C B V W F N U R T Z
J C A C A T C D H I G S
R H D W A T E R F A L L
D M A G P I E D J M G D
F G N L E A V E S A L S
C L O V E R D T S H W Y
V K H C Y U B J G O F E
R C F Z L I G G R D R N
H O S D F F C M H H V O
G L B T D G N G C U B H
D F F W B H D H V R W Z
N I J E G T E K C I R C
```

97. The Letter 'D'

```
H D I C E L O D V B O Y
X G G K J O G N I D H C
F C D R A O B H G I D D
D T B H S D Y I V J F X
J D I R T Y U D O H G R
O L V Y H G N I D S H E
U H F S K K X F J U K N
D F A G P D Y R E E D N
V B E C H T Y L R Y O
K X D Y B N J U Y D J D
S L D O L L D R A N T G
Y D R E S S E D R B V
```

98. Sweets

```
F J J B N O K D U R Z C
J E E Q B E A R S I F Q
A L V Y F F A T R S J K
W I C E T A L O C O H C
B Y O T U E E D F Z S U
R B J B U B B L E G U M
E E D F R B E G N N R E
A A K U D R O P S I E S
K N Z A Q C O C U F Y B
E S Y L I Q U O R I C E
R S S R E S E G D U F Q
S B M I N T S N U V K O
```

99. Sports

```
J A R C H E R Y N B K T
K H I N I L E V A J S L
N S P R I N T G M Z F H
R Q W R E S T L I N G N
H S T J K B D H I D N D
P M U J G N O L T N G L
T E L T S I H W V R K O
S J M R I D N F H G D G
F Z N H Q K V F J T S B
P O L O F L B R E M H Z
R B N T F T B S F R I H
V H C T I P R H D Q V J
```

100. The Letter 'F'

```
W V U O X K D B L A H E
F F A R M E R A B J W F
I J F G J Y O P H A T L
R B T A E E F L A G F U
E J L K R U R F F H U T
E F I V E P H F F E B E
K O B D J H W F F O F J
H A R M O N F O X V R G
V P G E T A F Y B G A D
F R O N T L O X P J N K
E F R E S H A B J U C H
F I N G E R S K G T E Y
```

101. The Letter 'G'

```
E D G F G O O D B Y E S
N G O B L E T M F T Z L
J M S W P H O G E I J
F L R I G Q G R E U F P
Y D O E L Z H F J R Q G
E M J T A N G F N F S G
R H G F Q D F S S E O R
G I L W O R G H D P L O
M E N P D H J G H A P W
G R U M B L E I M R Z J
L S F O Z G K J E G N Q
G M E P L U G G W F D H
```